500
PERGUNTAS E RESPOSTAS SOBRE OS
DINOSSAUROS

GIRASSOL

Dados Internacionais de Catalogação na Publicação (CIP)
(Câmara Brasileira do Livro, SP, Brasil)

500 perguntas e respostas sobre os dinossauros
[tradução Mônica Krausz]. - Barueri, SP:
Girassol, 2017.

Título original: 500 preguntas y respuestas
sobre los animales.
Vários ilustradores.
ISBN 978-85-394-2114-5

1. Dinossauros - Literatura infantojuvenil
2. Enciclopédias e dicionários infantis.

11-02815 CDD-030.833

Índices para catálogo sistemático:
1. Dinossauros: Enciclopédias para crianças 030.833
2. Enciclopédias para crianças 030.833

Diretora editorial: Karine Gonçalves Pansa
Coordenadora editorial: Carolina Cespedes
Assistente editorial: Carla Sacrato
Tradução: Mônica Krausz
Revisão: Aline Coelho
Diagramação: Solo Comunicações
Texto: Ángela Garcia e Hans Geel
Ilustrações: Hans Geel, Ángela García, Francisco Arredondo, José María Rueda, Lidia di Biasi
Ilustração de capa: Sara Boix

Impresso na China

500
PERGUNTAS E RESPOSTAS
SOBRE OS
DINOSSAUROS
GIRASSOL

INTRODUÇÃO

DIÁRIO DE UM VIGIA DE DINOSSAUROS

CAPÍTULO 1

OS SEGREDOS DOS DINOSSAUROS

As primeiras perguntas 12
Grupos de dinossauros (I) 14
Grupos de dinossauros (II) 16
Recordes dos dinos 18
A sociedade dos dinos 20
Longos anos, sangue quente 22

CAPÍTULO 2

O PERÍODO TRIÁSSICO

O Triássico na Pangeia 24
Terapsídeos e arcossauros 26
Eoraptor - Herrerassauro 28
A origem sul-americana 30
Evolução triássica 32
Fósseis do Triássico 34
A paisagem do Triássico 36
Plateossauro, o gigante 38
Celófise, o veloz 40
Perigo no mundo inteiro 42
Rumo a uma nova extinção 44

CAPÍTULO 3

O PERÍODO JURÁSSICO

A paisagem do Jurássico 46
Compsognato 48
Caçadores com cristas 50
Carnívoros famintos 52
Crescendo 54
Crescendo mais 56
O gigantesco Braquiossauro 58
O Diplódoco e outros titãs 60
Arquivo Estegossauro (I) 62
Arquivo Estegossauro (II) 64
Ferozes raptores 66

CAPÍTULO 4

O PERÍODO CRETÁCEO

A grande era dos dinossauros 68
Os maravilhosos dinos chifrudos 70
O indescritível Iguanodonte 72
Amargassauro e Hipsolofodonte 74
A família Hadrossauro 76
Paqui, o Paquicefalossauro 78
Patos mergulhadores 80
O ataque dos Galimimos 82
O incontrolável Anquilossauro 84
O mundo dos dinossauros 86
O terrível T-REX 88
Os perigos do Cretáceo 90
Os dinossauros egípcios 92
Monstros no ninho 94
Os mais estranhos 96
Velociraptor à solta 98
O fim dos dinos 100
Meteoritos e vulcões 102
O alado Arqueópterix 104
Pássaros ou répteis 106
Adeus, Cretáceo! 108

CAPÍTULO 5

NÃO ERAM DINOSSAUROS...
MAS VIVERAM COM ELES

Ouro parece, prata não é 110
Os senhores do ar 112
Pterossauros aos montes 114
De cabeça na água 116
Mares perigosos (I) 118
Mares perigosos (II) 120

Preparados para emergir 122
Quase crocodilos 124
Arcossauros desconhecidos 126
Senhor Dimetrodonte 128
O homem e os dinos 130

CAPÍTULO 6

COMO PESQUISAM OS PALEONTÓLOGOS

Os fósseis 132
Os poços de alcatrão 134
O âmbar dourado 136
Vamos à escavação (I) 138
Vamos à escavação (II) 140
Erros e problemas comuns 142
Seguindo pistas (I) 144
Dinossauros na Espanha 146
Seguindo pistas (II) 148
Os descobrimentos 150
A irrefreável Mary Anning 152
Os grandes paleontólogos (I) 154
Os grandes paleontólogos (II) 156
A guerra dos ossos 158
Os grandes paleontólogos (III) 160
Os grandes palcontólogos (IV) 162
As últimas descobertas (I) 164
As últimas descobertas (II) 166

CAPÍTULO 7

OS DINOSSAUROS NA FICÇÃO

Os pioneiros (I) 168
Os pioneiros (II) 170
1914-1933: os primeiros reis 172
1940-1948: O'Brien, Disney e Batman 174
Viagens no tempo 176
1955-1965: Yaba-daba-doo 178
1966-1974: homens x dinos 180
Dinossauros dos quadrinhos 182
Mudanças nos anos 1980 184
1983-1984: ficção científica 186
1985-1988: a revolução 188
Dinos animados 190
Parque dos Dinossauros, o filme 192
1991-1994: chega o realismo 194
A originalidade nos anos 1990 196
De Yoshi a Raptor Red 198
1995-1996: O mundo perdido 200
1996-1999: extremamente carnívoros 202
Caminhando como dinossauros 204
Dinos para o século XXI 206
Passado, presente e futuro 208
2003-2005: amigos e inimigos 210
Os últimos a chegar 212

ÍNDICES ZOOLÓGICO E DE PERSONALIDADES 215

DIÁRIO DE UM VIGIA DE DINOSSAUROS

Grandes como casas ou do tamanho de lagartixas. Carniceiros ferozes e herbívoros encouraçados. Senhores absolutos do planeta durante quase 200 milhões de anos...

Não há dúvida, só algumas criaturas são tão apaixonantes: os dinossauros. Você também gosta deles, não é **verdade?** Desde que eu era pequeno, esses bichos me encantavam. Tanto que não paro de observá-los. Os dinossauros têm alguma coisa que faz com que todo mundo queira saber mais sobre eles... E como a cada dia acontecem novas descobertas, nunca deixamos de nos impressionar, nunca chegamos a saber tudo: eles sempre nos surpreendem. Isso é **genial!**

Mas é difícil estudá-los: hoje já não existem dinossauros e, da mesma forma, houve uma época em que ainda não tinham aparecido. Eles pertencem a uma longa cadeia evolutiva... **Sem dúvida** são um elo muito forte nessa cadeia, um elo com muitos dentes, longos pescoços e espinhos nas costas. Mas ainda assim, nunca teriam existido se, muito, muito antes, outros animais não tivessem dado pequenos passos. Alguns desses passos inclusive foram dados por criaturas diminutas que nem animais eram. Outras nem tinham pés para dar esses passos. E acredite: foram os passos mais importantes.

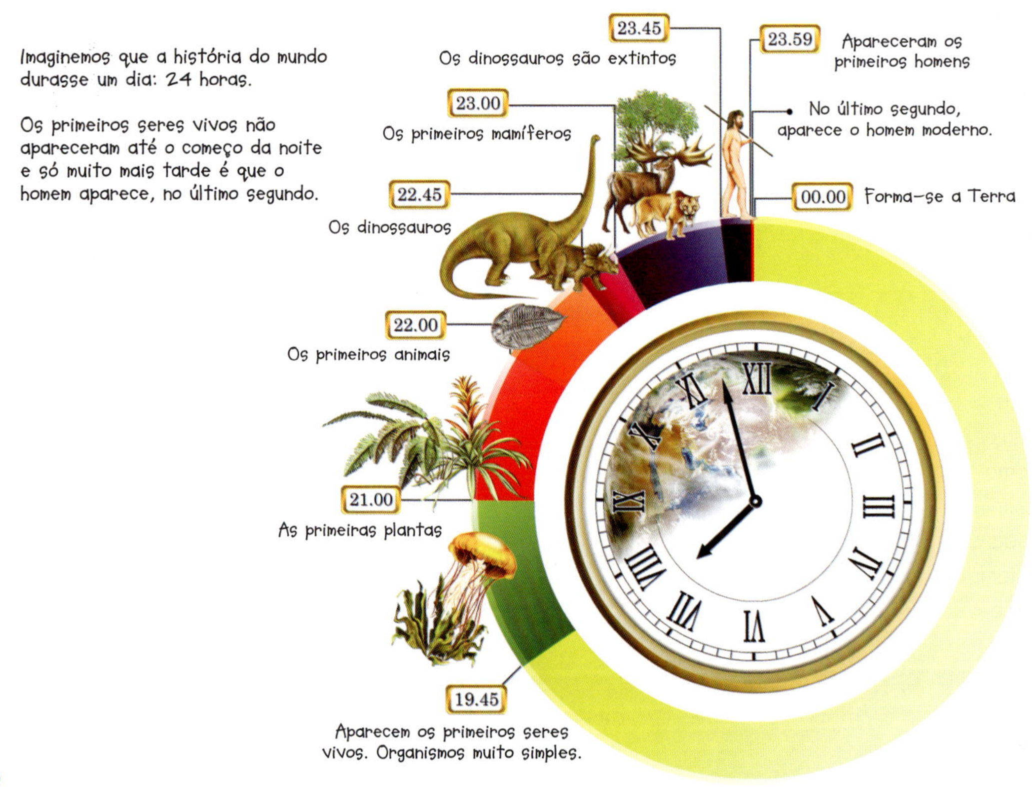

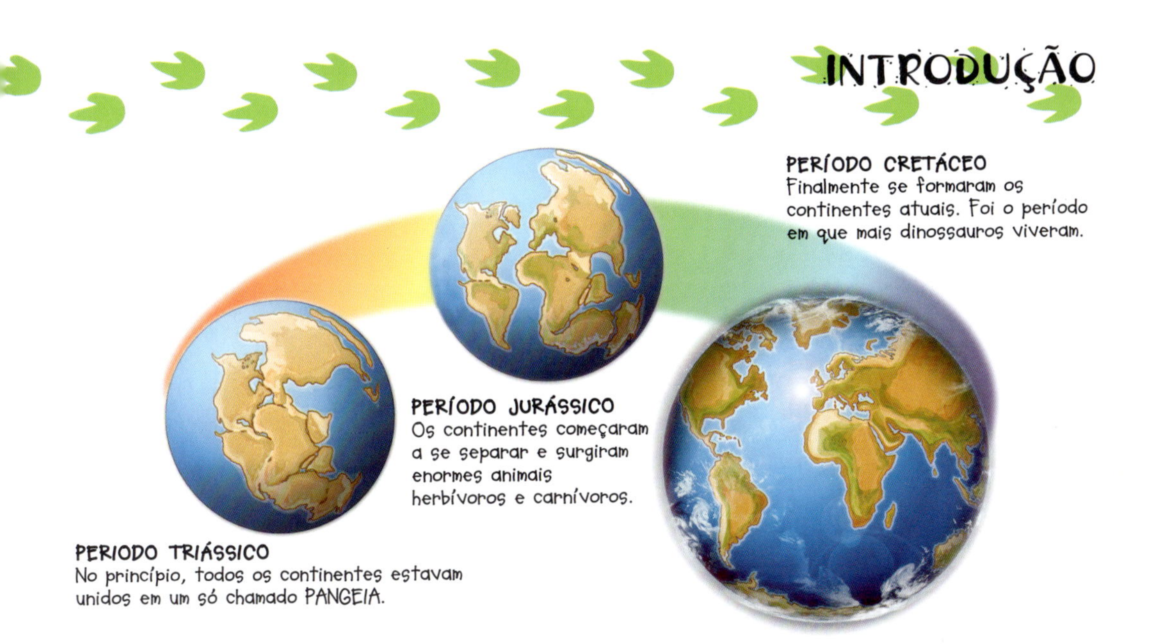

A verdade é que ninguém descobriu como começou a vida na Terra, mas há diversas teorias: alguns acreditam que um cometa trouxe a vida do espaço, outros opinam que a Terra se preparou sozinha para criar vida sem necessidade de influências externas. O que sabemos é que há 4 bilhões de anos alguns átomos descobriram a forma de existir gastando menos energia, ou seja, cansando-se menos: uniram-se em cadeias, transformaram-se em açúcar (sim, isso mesmo, **açúcar!**) e, mais tarde, a combinação de diferentes açúcares criou o DNA. Surgiam os genes.

Os genes dos seres vivos são os que têm toda a informação sobre como é esse ser vivo, são como o manual de instruções da vida. Se um animal tem tromba ou boca, ossos ou barbatanas, toda essa informação está nos genes. E, com o tempo, os genes dos animais podem mudar (isso é a evolução): por isso hoje há tantos animais diferentes. Mas, naqueles tempos, há 3,9 bilhões de anos, uma dessas cadeias de DNA se tornou tão complexa que deixou de ser uma molécula para ser um micro-organismo. Imagine uma espécie de bactéria, o primeiro ser vivo de todo o planeta, vivendo numa sopa de DNA que estava nos mares. Esse micro-organismo comia DNA, expelia os materiais que não lhe serviam e esses voltavam à "sopa inicial" modificados. Surgiram então mais bactérias diferentes e algumas começaram a comer, mover-se ou tocar o que as rodeava: saíram-lhes uma espécie de mãos, olhos, pés...

Há 1,8 bilhões de anos, a vida tinha evoluído, ainda que não muito. Tudo continuava a ser microscópico. Os seres vivos mais comuns naquela época eram os protozoários, que não eram nem animais nem plantas. Na verdade não existiam nem animais, nem plantas, e eles ainda demorariam 800 milhões de anos para existir. **Evoluir é difícil!**

Há 1 bilhão de anos apareceram as plantas: **finalmente surgia um ser vivo com mais de uma célula!** 100 milhões de anos depois, surgiram os antepassados das esponjas que, caso você não saiba, são animais. E então aconteceu algo terrível...

DIÁRIO DE UM VIGIA DE DINOSSAUROS

Entre 750 e 580 milhões de anos, a Terra passou pela Era Glacial mais brutal de toda a história. A temperatura baixou muitíssimo, tanto que até os mares se congelaram e somente nos trópicos continuaram em seu estado líquido. Quando o frio acabou, parece que os seres vivos decidiram que valia a pena sair da água e a evolução começou a se acelerar. **E como!** As esponjas, as águas-vivas (os primeiros animais com neurônios), os vermes e os avós das aranhas (um artrópode chamado Precambridium) começaram a andar, e no céu apareceu a camada de ozônio, que garantiu, desde então, um clima muito mais estável.

Era exatamente isso que estava fazendo falta para o desenvolvimento da vida: condições estáveis. Sem que houvesse variações muito grandes de temperatura, que cada local tivesse um clima mais ou menos similar. Os animais começaram a evoluir de forma muito rápida provando novas possibilidades: em apenas 20 milhões de anos, os artrópodes, representados por uma espécie de escaravelho ou molusco chamado trilobites, se expandiram por todos os mares. Há 530 milhões de anos, um animal desconhecido começou a explorar a terra firme em busca de novas presas. **E conservamos as marcas que ele deixou!** Voltamos 505 milhões de anos e começamos a ver peixes nos mares; saltamos 30 milhões de anos e as plantas também saíram da água; a atmosfera começa a ganhar oxigênio, permitindo que, há 450 milhões de anos, os artrópodes evoluíssem: apareceram as centopeias, as aranhas e os escorpiões.

Tudo isso parece tão distante... Aconteceu muito, muito antes dos dinossauros. Mas alguns desses seres sobrevivem desde aquela época, como o celacanto, um peixe de 400 milhões de anos, ou alguns insetos que também apareceram naqueles tempos.

Crocodilo primitivo

Os tubarões deram início à caça nos oceanos há 370 milhões de anos e logo se tornaram os predadores mais abundantes do mar: as barbatanas de alguns peixes foram se transformando em patas para que eles pudessem fugir para a terra firme. E foram necessários quase 70 milhões de anos para que seus ovos estivessem preparados para se desenvolver na terra e não no mar, mas finalmente, há 3 milhões de séculos, a vida começava a se espalhar pelos continentes.

E mais um salto no tempo para nos deslocarmos há 256 milhões de anos: Diictodonte, Dicinodonte, Dinogorgon... São os nomes de alguns dos primeiros répteis parecidos com os mamíferos, que conviveram com os arcossauromorfos. Mas isso já é outra história, que deverá ser contada na sequência...

Diictodonte

Bem-vindo ao mundo dos dinossauros!

Nas próximas páginas, vamos explorar esse mundo: no **capítulo 1,** veremos **curiosidades gerais,** como qual era o maior dinossauro ou qual é o trabalho de um paleontólogo. No **capítulo 2,** viajaremos até o **Triássico,** a era dos primeiros dinossauros, há 250 milhões de anos. E no **capítulo 3,** caminharemos pelo caloroso **Jurássico,** há 190 milhões de anos: naquele momento os maiores dinossauros da história habitavam a Terra. No **capítulo 4,** o do **Cretáceo,** descobriremos os segredos de alguns dos dinossauros mais famosos: o Tiranossauro, os Velociraptores, o Triceratope... e o meteorito que acabou com todos eles há 65 milhões de anos. **Ou será que não foi um meteorito?**

No **capítulo 5,** vamos explorar **o mundo em que viveram os dinossauros:** havia muitos animais interessantes que conviveram com eles e que muitas vezes confundimos com os dinos, desde o alado Pterodáctilo até o feroz Deinosuchus. O **capítulo 6** foi dedicado aos paleontólogos: sairemos em excursão para desenterrar fósseis e você conhecerá os segredos dos melhores pesquisadores da história... **E alguns dos erros monumentais que cometaram!** Acabaremos a viagem no **capítulo 7,** dedicado aos dinos **da ficção,** com várias curiosidades sobre os filmes, os livros, os desenhos animados e os videogames nos quais apareceram dinossauros incríveis.

VOCÊ AINDA ESTÁ AQUI?

Vire a página e prepare-se:
os dinossauros estão à sua espera para
revelar 500 perguntas e respostas...

As primeiras perguntas

1 Dinossauros

Por que os dinossauros se chamam dinossauros?

O termo *dinossauro* vem de duas palavras gregas: DEINOS, que significa "terrível", e SAURA, que significa "lagarto" ou "réptil". Em grego antigo, os adjetivos eram escritos antes que os substantivos, então, dinossauro significa "lagarto terrível".

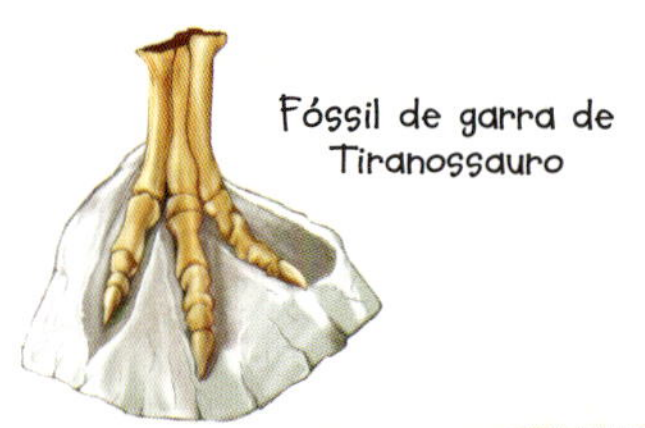

Fóssil de garra de Tiranossauro

2 O inventor da palavra

Em 1842, o paleontólogo inglês RICHARD OWEN propôs chamar de DINOSSAUROS certos répteis enormes que tinham sido descobertos na Grã-Bretanha.

3 O que é um paleontólogo?

Os PALEONTÓLOGOS são cientistas que estudam os restos de animais que já não existem. Eles procuram pistas em ossos para saber que tipo de dinossauro é o que encontraram.

Paleontólogos

Protoceratope

4 Ninhos de répteis

Como todos os RÉPTEIS, os dinossauros punham ovos. Os maiores podiam ser tão grandes quanto cinco ovos de GALINHA. Tinham a casca muito dura e, às vezes, os pais precisavam ajudar os filhotes a rompê-la.

Ovos de Protoceratopes e de galinha.

5 Dragões! Dragões!

Ao longo da história, pessoas do mundo inteiro têm encontrado crânios, ossos e até ovos petrificados de dinossauro. **O que pensaria um camponês da Idade Média que encontrasse um fóssil de TIRANOSSAURO REX?** Provavelmente que eram ossos de dragão. **Seria um grande susto!**

Crânio de um TIRANOSSAURO

Grupos de dinossauros (I)

6 Um grupo muito variado

Os DINOSSAUROS dominaram a superfície da Terra durante 180 milhões de anos. Portanto tiveram tempo de sobra para evoluir de maneiras muito diferentes. Alguns andavam sobre duas patas, outros sobre quatro; havia os enormes e os pequenos, com chifres, com garras, com bico e até com armadura. Uns comiam carne, outros gostavam de plantas e havia os que comiam qualquer coisa que aparecesse pela frente.

Armadura de um Euoplocéfalo

Chifres de um Triceratope

7 E o que eles tinham em comum?

Para começar, todos os DINOSSAUROS punham ovos, e quase todos tinham a pele dura e escamosa. A maioria tinha três dedos nas patas, os cotovelos virados para trás e joelhos para frente. E quase todos eram animais terrestres.

Camarassauro

8 Belo paladar!

Os DINOSSAUROS não tinham um palato só na boca... **tinham dois!** O palato secundário dos dinossauros lhes permitia respirar e engolir ao mesmo tempo. Você consegue imaginar isso? Um dinossauro jamais se engasgaria comendo!

9 Árvore genealógica dos dinos

Veja isto!
Estes insetos ficaram presos na resina do abeto, que se transformou em âmbar sólido.

Os cinco grupos nos quais se dividem os dinossauros são, de um lado, os MARGINOCÉFALOS, os ORNITÓPODES e os TIREÓFOROS (todos herbívoros com quadris parecidos com os dos pássaros) e, de outro, os TERÓPODES e os SAUROPODOMORFOS (dinossauros com quadril igual ao dos lagartos).

10 Marginocéfalos - COM CRISTA

Paquicefalossauro

A palavra MARGINOCÉFALO significa, literalmente, "CABEÇA COM PROTUBERÂNCIAS". Esses herbívoros do Jurássico tinham um prolongamento no osso de trás da cabeça, uma espécie de **"CRISTA"** ou **"ESCUDO"**, que lhes protegia o pescoço. Alguns ainda tinham chifres. Os PAQUICEFALOSSAUROS, os TRICERATOPES e os PSITACOSSAUROS pertencem a esse grupo.

11 Ornitópodes

Um grupo de dinossauros dominou a paisagem das planícies norte--americanas no Cretáceo: os ORNITÓPODES ("PÉ DE PÁSSARO"). Foram chamados assim porque tinham três dedos em cada pé, como as aves. Entre os ornitópodes mais conhecidos estão os HADROSSAUROS e os IGUANODONTES.

Iguanodonte

Grupos de dinossauros (II)

12 Quem se atreve?

Em grego, um TIREÓFORO é alguém que carrega um grande escudo, e esses dinossauros eram muito bem protegidos. Tinham as costas encouraçadas com placas protetoras do tamanho de pratos e a cauda cheia de grandes espinhos. Durante o Jurássico, viveram os ESTEGOSSAUROS e, no Cretáceo, os ANQUILOSSAUROS.

13 Como comiam os Terópodes

CARNÍVOROS. É a principal característica que define os TERÓPODES ("PÉ DE BESTA"), fossem grandes ou pequenos, ainda que alguns tenham evoluído para comer plantas também. Há restos de terópodes em quase todos os continentes: destacam-se os DEINONICOS, os ALOSSAUROS e os TIRANOSSAUROS.

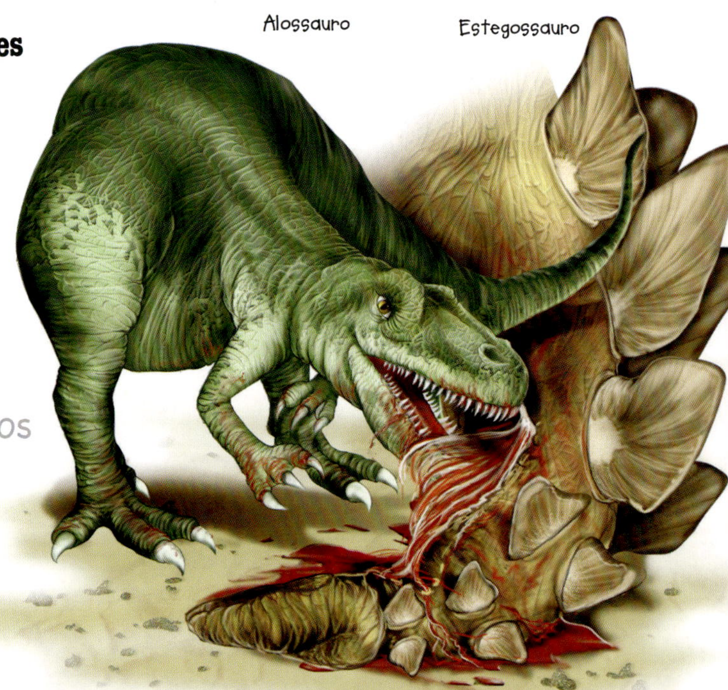

14 Sauropodomorfos: os superpescoçudos

A princípio, os SAUROPODOMORFOS comiam de tudo, mas, como seus pescoços compridos possibilitavam o alcance, sem problemas, dos galhos das árvores mais altas – coisa que outros dinossauros não conseguiam –, abandonaram a caça e seus perigos. E comeram tanto que se transformaram nos maiores dinossauros de todos os tempos. Primeiro, andavam sobre duas patas. Mas, quando cresceram, apoiaram o peso sobre as quatro patas que tinham forma (MORFO) de pé (PODO) de lagarto (SAURO).

Braquiossauro

15 O mais alto do mundo

O esqueleto do dinossauro mais alto e pesado que já foi encontrado completo é de um BRAQUIOSSAURO DA TANZÂNIA que tem 12 metros de altura. Provavelmente pesava entre 30 e 60 toneladas. Tanto quanto uma baleia! Ele pode ser visto no Museu Humboldt, de Berlim, na Alemanha.

Recordes dos dinos

Houve grandes dinossauros no Brasil?

Sim, o maior deles foi o TITANOSSAURO **("lagarto titânico"),** um herbívoro quadrúpede, que viveu no final do Cretáceo, nos atuais estados de São Paulo, Goiás, Minas Gerais e Mato Grosso. Chegavam a alcançar até 15 metros de comprimento, 5 de altura e pesar 15 toneladas! Possivelmente esses animais viveram em grandes bandos, ocupando as áreas alagadas ao longo dos rios da época.

O maior do mundo

O maior fóssil completo (não falta nenhum osso) de um dinossauro é de um DIPLÓDOCO **de 27 metros. É maior que dois caminhões de bombeiros juntos.** Foi descoberto nos Estados Unidos em 1907 e se encontra no Museu de História Natural de Nova York.

Argentinossauro

Os superdinossauros

Há dinossauros maiores do que esses, mas ainda não foram encontrados todos os seus ossos. O SAUROPOSEIDON **tinha 18 metros de altura, o** SUPERSSAURO **pode ter chegado aos 35 metros de comprimento, contando a cauda, e o peso de 10 caminhões.** Mas o campeão indiscutível, o líder dos pesos pesados, o Godzilla dos dinossauros, era o ARGENTINOSSAURO, uma fera do Cretáceo, com 38 metros e até 100 toneladas de peso: **o mesmo que 30 elefantes!**

19 Pequenos e rápidos

Também havia dinossauros pequeninos. Alguns, como o MICRORAPTOR**, não mediam muito mais que uma galinha.** E dinossauros ligeirinhos. Os mais rápidos mantinham a cauda rígida para ter mais resistência ao ar e poder correr mais.

20 Os grandes corredores

Os dinossauros rápidos costumavam ser pequenos. Mas, surpreendentemente, alguns dinos de cauda rígida eram bastante grandes. Por exemplo, o DEINONICO podia medir até 3,5 m de comprimento, mas corria a 30 km/h, como um ciclista profissional. E o TIRANOSSAURO REX podia mover-se a mais de 40 km/h. **E isso pesando tanto como um caminhão.**

A sociedade dos dinos

21 Havia bandos de dinossauros?

Sim. Em 1878, apareceram na Bélgica os fósseis de 31 IGUANODONTES que haviam morrido ao cair em uma fenda inundada: ou seja, tinham vivido em grupo. Desde então, têm sido encontrados caminhos cheios de pegadas. Na Inglaterra inclusive acharam marcas de uma manada de várias espécies distintas.

22 Resposta dos carnívoros

Contra uma manada de 20 a 30 HADROSSAUROS (herbívoros grandes e fortes), nenhum TIRANOSSAURO sozinho podia ter muito êxito. Por isso os carnívoros inventaram estratégias de caça, como separar os adultos de seus filhotes, por exemplo. Se o inimigo se unia, eles também não podiam ficar de fora.

23 Os dinossauros podiam falar?

Como com todos os animais, para os dinossauros a fala não fazia falta na comunicação, mas alguns, como o PARASSAUROLOFO ou o CORITOSSAURO, tinham cristas ocas sobre a cabeça que podiam servir para fazer soar mais forte os seus grunhidos e rugidos.

Coritossauros

24 Quando viveram os dinossauros?

Depois de longos milhões de anos, chegou a vez dos animais com coluna vertebral, os VERTEBRADOS. A Era Mesozoica, chamada também de Era Secundária, começou há 250 milhões de anos e acabou há 65. Como 185 milhões de anos é muito tempo, **os paleontólogos a dividem em três períodos: o Triássico, o Jurássico e o Cretáceo.**

Longos anos, sangue quente

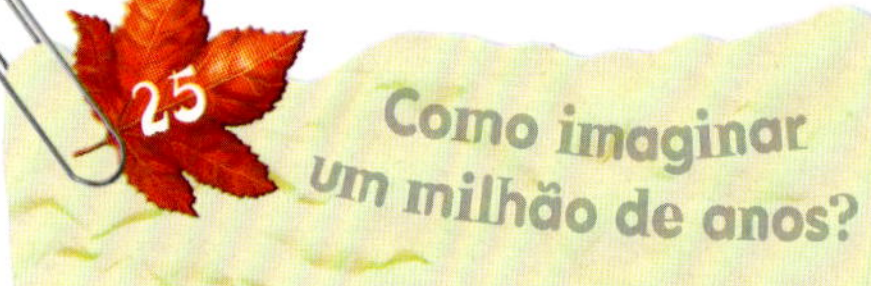

25 Como imaginar um milhão de anos?

Ao falar de dinossauros, sempre dizemos que eles viveram há muito tempo: milhões de anos. **Mas você tem uma ideia de quanto tempo é um milhão de anos?** Quem sabe se você calcular em dias poderá ter uma ideia melhor de como esse período é grande: um ano tem 365 dias e os dinossauros foram extintos há 65 milhões de anos, ou seja, **123,725 bilhões de dias!**

Dá para entender por que é difícil para os paleontólogos saber o que aconteceu há tanto tempo?

Crocodilo primitivo

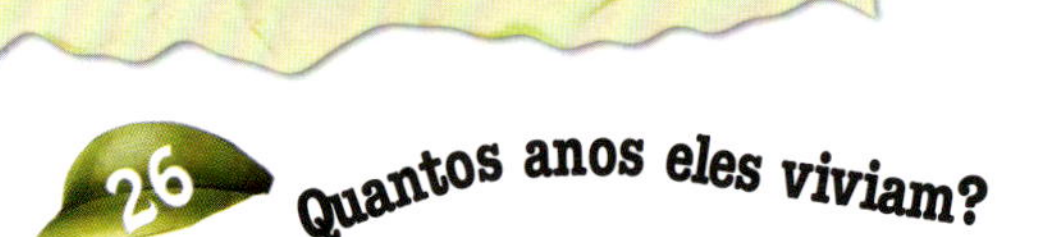

26 Quantos anos eles viviam?

O tamanho e o metabolismo de um animal determinam quantos anos ele vai viver se não ficar doente ou não for caçado. Havia dinossauros com metabolismo lento como as TARTARUGAS, que chegavam a viver 150 anos, e outros mais parecidos com os animais de sangue quente, como os PÁSSAROS e os MAMÍFEROS, que viviam aproximadamente a metade.

27 Dinossauros de sangue frio

Répteis como os LAGARTOS e SERPENTES obtêm a maior parte de seu calor corporal do sol, por isso dizemos que são animais de "SANGUE FRIO". Esse metabolismo permite reações de repentina velocidade seguidas de muito descanso porque o corpo se esgota. Será que **os dinossauros eram de sangue frio como os répteis?**

Tartaruga marinha

28 Esquentando o sangue

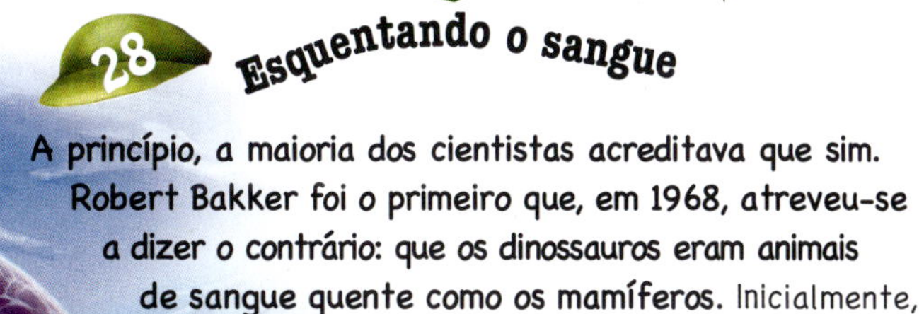

A princípio, a maioria dos cientistas acreditava que sim. Robert Bakker foi o primeiro que, em 1968, atreveu-se a dizer o contrário: que os dinossauros eram animais de sangue quente como os mamíferos. Inicialmente, ninguém acreditou nele, mas hoje em dia quase todos os cientistas concordam com ele.

Quer saber por quê?

Ictiossauros

29 Dinossauros de sangue quente

Fósseis de fragmentos de pele e penas

Há várias pistas que indicam que os dinossauros tinham sangue quente. A posição de suas patas, embaixo do corpo, sugere que se movimentavam muito, especialmente os CARNÍVOROS. Suas crias podiam crescer em pouco tempo, como as dos pássaros, e algumas espécies tinham a pele coberta de pelos ou penas para manter o calor do corpo. E, além disso, houve dinossauros em locais tão frios que nenhum animal de sangue frio teria sobrevivido.

30 Eram dinossauros?

Escamas de um Troodonte

Muitos animais viveram com os dinossauros, que dominaram a Terra por 180 milhões de anos. Alguns desses animais podem ser confundidos com dinossauros, embora não fossem, como os PTEROSSAUROS, PTERANODONTES, PLESIOSSAUROS e ICTIOSSAUROS: eram répteis, mas não dinossauros. **Você vai encontrar mais curiosidades sobre eles no capítulo 5.**

O Triássico na Pangeia

31 A vida na terra correu algum risco?

Sim, muitas vezes. Para você ter uma ideia, várias erupções vulcânicas mudaram o clima há 250 milhões de anos e quase toda a vida da Terra foi extinta: plantas e animais, grandes e pequenos. Esse desastre foi chamado de **"EXTINÇÃO EM MASSA** DO PERMIANO-TRIÁSSICO**"**, porque aconteceu entre esses dois períodos.

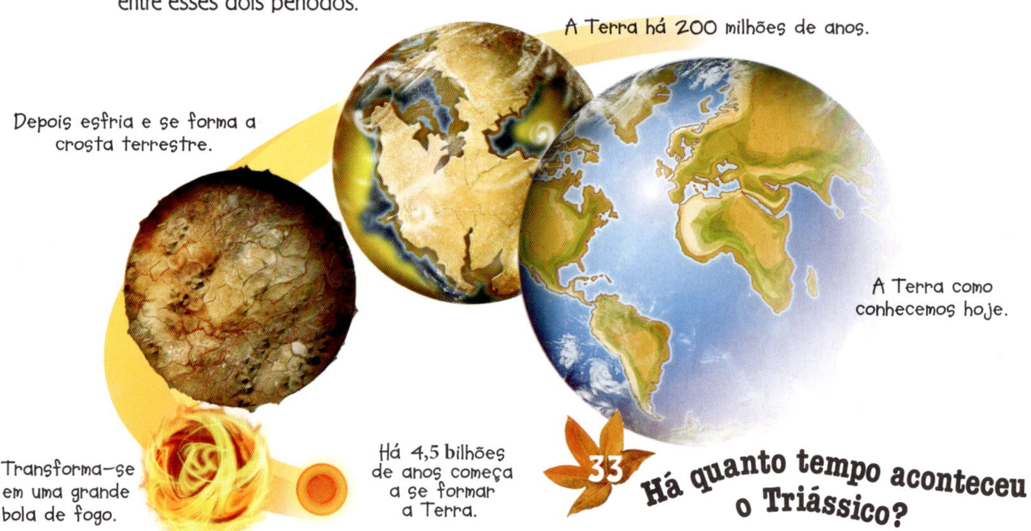

32 Bem-vindo à Pangeia

Os continentes parecem quietos, mas, na realidade, movem-se pouco a pouco. No Triássico, todos os continentes eram unidos em um só, chamado PANGEIA (que significa "toda a Terra"). Por isso, os animais podiam ir de uma parte a outra sem ter de nadar ou voar.

33 Há quanto tempo aconteceu o Triássico?

As datas de início e fim não são exatas porque falamos de períodos de milhares de anos, mas geralmente chamamos de Triássico o tempo entre a extinção do PERMIANO-TRIÁSSICO, há 250 milhões de anos, e outra grande extinção, a do TRIÁSSICO-JURÁSSICO, há 202 milhões de anos.

Lycaenops

34 A vegetação triássica

No norte da **PANGEIA**, floresceram plantas adaptadas ao seu clima seco e quente: cactos, palmeiras e algumas coníferas. Nas regiões úmidas, como no sul da Pangeia, também cresciam samambaias por toda parte.

35 Muito antes dos dinossauros

A extinção do PERMIANO-TRIÁSSICO acabou com os principais habitantes do planeta: os TERAPSÍDEOS (ou "feras abobadadas", pelo tamanho da cabeça). Também conhecidos como "répteis mamiferoides" porque se pareciam com os mamíferos e andavam sobre as quatro patas como os cães. Animais como o MOSCHOPS, o LYCAENOPS e o CINOGNATO apareceram no Triássico.

Terapsídeos e arcossauros

36 À prova de extinção

Listrossauro

Só um TERAPSÍDEO sobreviveu à grande extinção do Permiano-Triássico: o LISTROSSAURO ("RÉPTIL PÁ"). Tinha o tamanho de um porco, patas fortes e dois longos dentes que saíam da boca, mesmo sendo um animal herbívoro. Por causa da extinção em massa, foi o vertebrado terrestre mais numeroso no princípio do Triássico. Viveu por toda a Pangeia: foi a única vez na história em que uma só espécie predominou no planeta.

37 Que sorte você tem, Listrossauro!

A grande extinção do Permiano-Triássico não poupou ninguém: desapareceram 96% das espécies marinhas (imagine: **no mar, restaram apenas 4 de cada 100 animais!**) e 70% dos vertebrados terrestres por causa da mudança climática, dos terremotos e da falta de oxigênio nos mares. O LISTROSSAURO sobreviveu quase que por pura sorte e porque gostava de viver nas proximidades dos rios e lagos, onde sempre havia comida e bebida.

Stagonolepis

38 Mudanças triássicas

Quando os TERAPSÍDEOS desapareceram, outros animais aproveitaram o vazio que eles deixaram, fato comum depois de cada extinção. Com o início do Triássico, surgiram os ARCOSSAUROS ("RÉPTEIS DOMINANTES"). Tinham a boca estreita e comprida, pequenos buracos no crânio, que os tornavam mais rápidos, e uma protuberância extra no fêmur (chamada QUARTO TROCÂNTER), onde se enganchavam os músculos. **Atenção, logo essa protuberância será muito importante para os dinossauros!**

39 A família dos arcossauros

Existiam dois grandes tipos de ARCOSSAUROS: os "TORNOZELOS CRUZADOS" e os "PESCOÇOS DE PÁSSARO". Os primeiros tinham o crânio quase tão grande quanto o corpo e o pescoço muito curto: é o grupo dos crocodilos. Os outros tinham o pescoço em forma de "S" e caminhavam sobre duas patas: deles saíram os PTEROSSAUROS, os DINOSSAUROS e os LAGOSÚQUIDOS.

Proterossuco

40 O terrível crocodilo coelho

LAGOSÚQUIDO significa, literalmente, "CROCODILO-COELHO", apesar desse réptil não se parecer muito com nenhum dos dois animais. Ele se parecia, isso sim, era com os DINOSSAUROS; faltavam-lhe alguns detalhes, mas era capaz de correr sobre as finas patas traseiras. Media apenas 30 centímetros e viveu há 220 milhões de anos no Brasil e Argentina.

Rutiodonte

Eoraptor - Herrerassauro

41 Como eram os primeiros dinossauros?

Certo dia, um ARCOSSAURO, que já se parecia muito com um DINOSSAURO, botou um ovo do qual saiu um animal com todas as características dos dinossauros. O problema é que não sabemos exatamente que animal foi esse. Por enquanto, os paleontólogos acreditam que a mãe de todos os dinossauros foi uma EORAPTOR, descoberta em 1991.

42 O velho Eoraptor

O EORAPTOR ("LADRÃO DO AMANHECER") viveu há 228 milhões de anos no noroeste da Argentina. Esse baixinho de duas patas tinha 1 metro de comprimento, apenas 30 cm de altura e pesava só 9 quilos: era como um "cão salsicha". Caçava lagartixas, insetos e pequenos mamíferos graças à sua grande velocidade, suas garras e dentes afiados.

Eoraptores

43 Seu próprio dinossauro

Herrerassauro

Em 1960, um camponês argentino chamado VICTORINO HERRERA descobriu na Patagônia os fósseis de um DINOSSAURO carnívoro. O paleontólogo OSVALDO REIG estudou os ossos e deduziu que eles tinham quase a mesma idade do EORAPTOR. E decidiu dar ao novo dinossauro o nome de seu descobridor: nascia o HERRERASSAURO.

44 Um tipo perigoso

O HERRERASSAURO era magro e um ágil corredor, graças às suas patas fortes e aos pés grandes. Tinha a cabeça estreita e pontiaguda cheia de dentinhos de diferentes tamanhos, que lhe permitiam ferir as presas antes de devorá-las. E, se o inimigo resistisse, também poderia usar as patas traseiras. **Pobres EORAPTORES!**

45 O primeiro predador

Os maiores HERRERASSAUROS chegavam a ter 5 metros de comprimento e 2,5 de altura e a pesar 300 quilos. Foi o primeiro grande dinossauro predador; lembre que em sua época havia ainda poucos DINOSSAUROS e quase todos eram muito pequenos.

O HERRERASSAURO era tão grande para eles como um TIRANOSSAURO para nós.

A origem sul-americana

Herrerassauro

46 É fascinante

O HERRERASSAURO **tem características de vários dinossauros diferentes,** e pode até ter aparecido antes da divisão entre os "QUADRIS DE AVES" e os "QUADRIS DE RÉPTIL". Curiosamente, **ele se parece mais com os dinossauros do Jurássico do que com os do Triássico.**

47 O primeiro dinossauro europeu

Três milhões de anos depois, pelo Brasil e Argentina, corria um carnívoro veloz, três vezes mais comprido que o EORAPTOR **e com o dobro do tamanho: o** ESTAURICOSSAURO **("LAGARTO DO CRUZEIRO DO SUL").** Recebeu esse nome porque seu fóssil foi um dos primeiros a aparecer no Hemisfério Sul, e o Cruzeiro do Sul é uma constelação que só pode ser vista nesse hemisfério e equivale à Ursa Menor do Hemisfério Norte.

48 O dinossauro do Cruzeiro do Sul

Na mesma época evoluiu um dinossauro menor. O SALTOPUS ("PÉ SALTADOR") tinha o tamanho de uma criança de 1 ano, mas só pesava 1 quilo, como um gato. Esse parente do ESTAURICOSSAURO viveu na Escócia. Comia os insetos que apanhava entre corridas e saltos.

Brontossauro

49 O menor

Há controvérsias sobre o menor dinossauro. No deserto de Gobi, foi encontrado o OMNOGOVAE MOHAKALA, com 70 cm de comprimento. O asiático MICROPAQUICEFALOSSAURO tinha cerca de 50 cm. E o MICRORAPTOR, descoberto na China, também. Na Argentina, os cientistas chegaram a achar que tinham encontrado o menor dinossauro e deram a ele o nome de Mussaurus ou "lagarto rato" por causa do tamanho, mas depois concluíram que era um filhote! Os adultos dessa espécie pesavam 250 quilos!

50 O mais antigo

Se ainda não se tem certeza sobre qual é o menor, o ANTETONITRUS AFRICANO, que tem de 210 a 221 milhões de anos continua com o título de saurópode mais antigo.

Seu nome significa "ANTES DO TROVÃO", porque foi o avô dos estrondosos BRONTOSSAUROS: media 10 metros e pesava 2 toneladas!

Evolução triássica

51 A realidade e a ficção

No último capítulo, falaremos do GODZILLA**, um dos dinos mais famosos do cinema. Mas você sabia que ele inspirou o nome de um dinossauro real?** O GODZILLASSAURO ou GOJIRASSAURO (Gojira é o nome do Godzilla no Japão) media cerca de 7 metros de altura (como um prédio de 2 andares), mas era muito magro: **pesava apenas 250 quilos!** Foi o maior carnívoro do Triássico.

52 O segredo

Nem sempre as coisas são muito claras. Na Inglaterra, foram encontrados três ossos que alguns acreditam ter pertencido a um TERÓPODE primitivo, próximo do EORAPTOR, mas há os que pensam que são de um dos últimos ARCOSSAUROS. Não é estranho que agora o chamem de AGNOSPHITYS, que significa "DE PAI DESCONHECIDO".

53 Dúvidas razoáveis

Lembra que os ARCOSSAUROS **desenvolveram uma quarta protuberância no fêmur? O QUARTO TROCÂNTER:** nós só temos três e servem para que os músculos da perna possam ficar bem acondicionados. O quarto trocânter dos DINOSSAUROS tornou possível que se levantassem e passassem de quatro para duas patas.

Postosuchus

Eoraptores

54 Os prossaurópodes

Os PROSSAURÓPODES **são um grupo de dinossauros herbívoros que viveram durante o Triássico e no princípio do Jurássico.** Comeram muito e cresceram até mais de 6 metros de comprimento. Todos tinham o pescoço longo e a cabeça pequena, os braços mais curtos que as patas e uma enorme garra no polegar para se defender. A maioria podia sustentar o próprio peso sobre as patas traseiras, mas costumavam caminhar sobre quatro patas.

55 Não sou seu pai: sou seu irmão

Durante muito tempo, acreditou-se que os PROSSAURÓPODES **eram os antepassados dos** SAURÓPODES **(isso é o que significa seu nome).** Mas agora sabemos que foram famílias que evoluíram de forma diferente. Ambos descendem dos PROSSAUROPODOMORFOS. **Tente dizer esse nome sem travar a língua!**

Eoraptores

Fósseis do Triássico

56 Festa romana no Brasil

O melhor local para encontrar fósseis do Triássico é a América do Sul. No Rio Grande do Sul, aqui no Brasil, foram encontrados os restos do SATURNALIA. Com apenas 1,5 metro de comprimento, foi um dos primeiros sauropodomorfos. Seus restos foram descobertos no Natal de 1999: o nome dele vem da festa dedicada a Saturno, que era celebrada na Roma Antiga.

57 Bombas contra fósseis

Outro dos dinossauros que abriram caminho para os SAUROPODOMORFOS é o THECONDONTOSSAURO ("LAGARTO DE DENTES OCOS"). Os primeiros fósseis desse dinossauro foram todos destruídos em 1940, durante a Segunda Guerra Mundial, por causa dos bombardeios alemães sobre a Inglaterra. Desde então, têm aparecido novos fósseis do Thecodontossauro, principalmente na Inglaterra.

Folclore e dinossauros

Também naquela época, caminhava pela Terra o SACISSAURO. **O primeiro fóssil encontrado não tinha uma das quatro patas,** por isso recebeu o nome de SACI, o travesso personagem de uma perna só do folclore brasileiro. O SACISSAURO tinha 1,5 metro de comprimento e 70 centímetros de altura. **E qual será a altura do Saci?**

Nas Águas Negras

Para acabar com o nosso passeio pelo Brasil, falemos do UNAISSAURO **("LAGARTO DA REGIÃO DAS ÁGUAS NEGRAS", do Rio Grande do Sul).** Ele provou que a Pangeia estava unida há 220 milhões de anos, já que seu descendente mais direto, o PLATEOSSAURO, viveu muito, muito longe.

60 O melhor do Chile

Há países em que é difícil encontrar novos dinossauros. No Chile, por exemplo, só apareceram pedaços de fósseis muito pequenos para saber se pertenciam a animais conhecidos ou a novas espécies. Isso até 2003, quando os paleontólogos David Rubilar e Alexander Vargas encontraram o DOMEYKOSAURUS CHILENSIS, o primeiro dinossauro 100% chileno. Com aproximadamente a metade do fóssil, puderam saber que viveu no Cretáceo, media 8 metros de comprimento e andava sobre quatro patas.

A paisagem do Triássico

A joia argentina

O Parque Natural de ISCHIGUALASTO, na Argentina, abriga alguns dos fósseis de dinossauros mais antigos: a qualidade, quantidade e importância dos descobrimentos que foram feitos nesse local é admirável. Ischigualasto é, além disso, o único lugar do mundo onde há fósseis de quase todo o Triássico.

TRIÁSSICO

Pangeia

Mar de Tétis

Tamanho médio

Mas só 6 em cada 100 animais de quatro patas encontrados em ISCHIGUALASTO são dinossauros. É que no Triássico ainda havia pouquíssimos dinossauros.

63 Um espetáculo INCRÍVEL

Na metade do Triássico, há 167 milhões de anos, a PANGEIA começou a se partir: ao norte formou-se a Laurásia (com as futuras América do Norte, Europa e Ásia) e ao sul, Gondwana (América do Sul, África, Antártida, Índia e Austrália). **Os dinossauros deviam andar muito assustados com tantos terremotos!**

64 A vegetação de Gondwana

No Permiano havia florescido uma planta chamada GLOSSOPTERIS. Ao chegar ao Triássico ela foi extinta (as plantas também podem desaparecer). Em seu lugar surgiram algumas samambaias chamadas DICRODIUM. A flora do Triássico em Gondwana incluía ainda campos de feno, selvas de folhas amplas e bosques de coníferas primitivas.

65 A vegetação da Laurásia

As plantas da Laurásia eram um pouco diferentes: havia muitas coníferas chamadas VOLTZIALES e as CÍCADAS (palmeiras primitivas), muitas samambaias de todos os tamanhos (alguma maiores que uma pessoa) e, claro, o GINGKO, uma árvore que hoje em dia praticamente só se pode ver na China. **E sabe o que é mais curioso? Nenhuma dessas plantas tinha flores: elas ainda não existiam.**

Plateossauro, o gigante

66 Uma torre em seu tempo

Com 10 metros de comprimento, o PLATEOSSAURO ("LAGARTO PLANO") foi um dos maiores dinossauros do Triássico. A cabeça dele é que era achatada: seu corpo enorme andou pela Alemanha e pela Groenlândia que, naquela época, era uma planície verdejante e quente.

Plateossauro

67 Estique o pescoço...

O PLATEOSSAURO foi o primeiro grande dinossauro que se alimentou exclusivamente de plantas, e o primeiro que chegou aos galhos altos das árvores graças ao seu longo pescoço. As patas traseiras e a cauda eram longas e o ajudavam a chegar mais alto. Certamente ele usava as garras das mãos para segurar os galhos enquanto os mordia.

68 O dinossauro mais profundo

Outro recorde do PLATEOSSAURO **é o de ser o FÓSSIL DE DINOSSAURO MAIS PROFUNDO:** seus restos são os que foram encontrados a uma maior profundidade em perfuração. Exatamente 2.256 metros abaixo do nível do Mar do Norte.

69 Na palma da mão

Nenhum prossaurópode da época do PLATEOSSAURO nem seus predadores podia virar a palma das mãos para baixo. Por isso, apesar do seu tamanho, tinham que suportar o peso exclusivamente sobre as patas traseiras, equilibrando-se com a cauda e o tórax.

70 De sangue quente

Os pesquisadores MARTIN SANDER e NICOLE KLEIN acreditam que a diferença de tamanho entre os PLATEOSSAUROS **significa que tinham sangue frio como os répteis. Por quê?** Os répteis podem ajustar o ritmo de seu crescimento de acordo com as condições do ambiente, por isso, dois répteis da mesma espécie podem ter todas as características adultas e idade (e tamanhos) muito diferentes.

Celófise, o veloz

71 Onde ver PLATEOSSAUROS

A Alemanha é um dos melhores lugares para ver esqueletos de PLATEOSSAUROS: eles estão expostos no Museu Humboldt, em Berlim, no Instituto-Museu de Geologia e Paleontologia da Universidade de Tubinga e no Museu Estatal de História Natural, em Stuttgart.

72 Talvez não fosse da família

Existe um PROSSAURÓPODE triássico chamado PLATEOSAURAVUS ("AVÔ DO PLATEOSSAURO"), mas não se tem certeza sobre os laços que o relacionam com Plateossauro: teria sido anterior, posterior ou contemporâneo a ele? Certamente saberão quando conseguirem completar seu esqueleto.

Celófises

73 O dinossauro eco

O dinossauro mais conhecido do Triássico é o CELÓFISE. Seu nome significa "FORMA OCA" e muitos de seus ossos realmente eram ocos. A cabeça pesava pouco porque era esburacada nas laterais e tinha o focinho alongado: era um dino preparado para correr muito.

74 Morder em todas as direções

A mandíbula inferior do CELÓFISE facilitava o trabalho de cortar as presas com um movimento de serra. Ele não só abria e fechava a boca, mas ao mesmo tempo também rasgava a vítima: ASSUSTADOR!

75 Sorte e desejos

O CELÓFISE foi o primeiro dinossauro com fúrcula. Fúrcula é um osso formado pela união das clavículas dos pássaros e alguns terópodes, também chamado de "OSSO DA SORTE" e "OSSO DOS DESEJOS" pela superstição de que se duas pessoas puxarem suas extremidades pensando em um desejo, a que tirar o pedaço maior vai ter o seu realizado. Mas até o momento ninguém tentou fazer isso com uma fúrcula de dinossauro...

76 Com sela de montar

Outro dinossauro comum é o SELOSSAURO, com mais de 20 esqueletos descobertos. Seu nome significa "RÉPTIL SELA DE MONTAR". As patas finas, dotadas de cinco dedos, suportavam comodamente seu peso quando percorria as regiões da atual Europa Central.

Perigo no mundo inteiro

77 Australiano duvidoso

O dinossauro mais antigo da Austrália pode ser o AGROSSAURO ("LAGARTO DO CAMPO"), de 200 milhões de anos. Mas há cientistas que acreditam que ele é só outra espécie de THECODONTOSSAURO. Se estiverem corretos, os dinos mais antigos da Austrália passariam a ser o RHETOSSAURO e o OZRAPTOR, do Jurássico.

Ictiossauros

78 Mares cruéis

Os mares do Triássico eram cheios de vida. Os répteis nadadores se impulsionavam com as quatro patas e capturavam peixes com seus dentes afiados. Os ICTIOSSAUROS, parecidos com os golfinhos, nadavam em águas pouco profundas do mundo todo, sem a concorrência dos dinossauros, que ficavam em terra.

79 Cinco nomes para um dino

Alguns dinossauros dão mais problemas que outros. Em 1908, FRIEDRICH VON HEUSE pensou que alguns ossos eram de TERATOSSAURO, um réptil do Triássico. Outro alemão, EBERHARD FRAAS, se deu conta do erro e pensou que era um THECODONTOSSAURO, mas logo mudou de ideia e o chamou de PALEOSSAURO. Depois ele foi confundido com o SELOSSAURO e há pouco recebeu o nome de EFRAASIA em homenagem ao nome do descobridor do primeiro erro. **Bela confusão!**

Sem parentesco conhecido

O PROCOMPSOGNATO, o **"ANTECESSOR DO** COMPSOGNATO**", foi um dinossauro terópode primitivo** que apareceu há 222 milhões de anos e se extinguiu há 219 milhões. Apesar do nome, não há nenhuma pista que indique que ele foi realmente um ancestral do Compsognato jurássico.

81

Uma testemunha difícil

Parente ou não, o PROCOMPSOGNATO **era um bípede de longas e finas patas que tinha apenas 1,2 metro de comprimento.** Tinha a boca cheia de dentinhos afiados, caçava insetos e lagartixas, e vivia no interior da Pangeia. **Não é nada mau saber tudo isso do único fóssil desse dinossauro encontrado até hoje, não é verdade?**

Rumo a uma nova extinção

82 Venenoso? Por que não?

Em seu filme *Parque dos Dinossauros*, **MICHAEL CRICHTON chama de "COMPIS" os PROCOMPSOGNATOS, um apelido que se tornou muito popular tanto para eles como para os COMPSOGNATOS.** O autor inventou que os Procompsognatos são venenosos, algo que nenhum dado sobre essa espécie sugere. Apesar do pouco que sabemos dos "compis", tudo é possível...

83 Deduções sobre um focinho

Ainda não está claro se o LUKOUSAURUS é um dinossauro ou um arcossauro de "TORNOZELOS CRUZADOS", porque só se tem o fóssil de seu focinho, encontrado na China em 1948. Seu nome vem da ponte Lukou (que significa encruzilhada), em Pequim. Se finalmente chegarem à conclusão de que ele é mesmo um dinossauro, estará entre os terópodes e os ceratossauros.

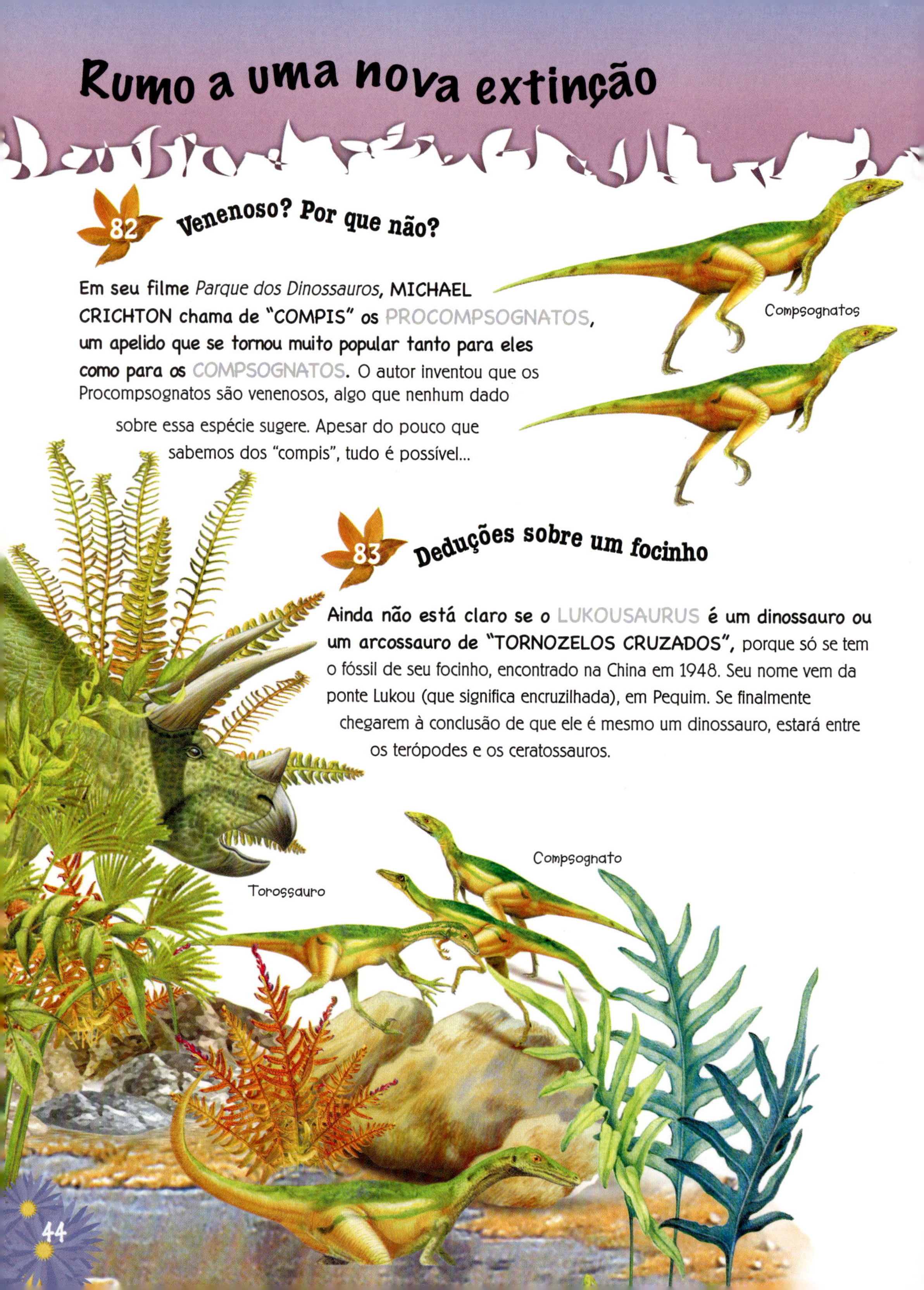

84 Cuco, cantava o sapo

Os ancestrais das RÃS e dos LAGARTOS também apareceram durante o Triássico. Os mamíferos deveriam evoluir por sua conta, mas durante todo o Mesozoico não se destacaram, apenas participaram da história...

Lycaenops

85 Dinossauros por toda parte

Durante o MESOZOICO, quase todos os animais terrestres de mais de 1 metro de comprimento eram dinossauros.

86 Uma extinção abrindo caminho

A extinção em massa do Triássico-Jurássico afetou principalmente as espécies marinhas, mas muitos animais terrestres também desapareceram: a maioria dos DICINODONTES (répteis com aparência de mamíferos com dentes grandes) e ARCOSSAUROS, por exemplo. Ao morrer, deixaram abertas muitas oportunidades para que os dinossauros tentassem a sorte em seu lugar... e os dinos as aproveitaram.

A paisagem do Jurássico

87 Quando começou o período Jurássico?

O TRIÁSSICO **acabou há 200 milhões de anos com a extinção do Triássico-Jurássico e depois dele começou o Jurássico, que durou outros 55 milhões de anos.** O nome do período foi dado pelo mineralogista francês ALEXANDRE BOGNIART, enquanto estudava as rochas das montanhas de Jura, entre Alemanha, França e Suíça.

JURÁSSICO

88 A Pangeia treme

Naqueles tempos, os diversos continentes que formavam a PANGEIA não paravam de se mover: dois deles, CIMMERIA e EURÁSIA, se chocaram e, com o choque, apareceram várias fissuras de muitos quilômetros de profundidade, chamadas FALHAS. Uma delas começou a separar América e África (que até então continuavam unidas), criando o Oceano Atlântico e estendendo-se pelos Estados Unidos: essa enorme fissura é o ponto por onde hoje passa o rio Mississípi.

89 As três Cimmerias

Houve três CIMMERIAS famosas: o continente que separou América e África, uma tribo da Europa Central do século 7 e a terra mítica inventada pelo escritor ROBERT E. HOWARD para as aventuras de Conan, o Bárbaro.

90 Ontem no interior, hoje no litoral

Durante o **TRIÁSSICO,** em grande parte do interior da **PANGEIA,** era difícil viver por causa do clima, mas, de repente, lugares que tinham estado a milhares de quilômetros no interior se encontravam na costa. **Quem primeiro se adaptou ao novo clima foram as plantas.**

91 Mudança climática

Durante o JURÁSSICO, o clima da Terra ficou mais úmido, mas continuou sendo muito quente. Isso ajudou na formação de enormes pradarias e bosques, cheios de samambaias e coníferas. Os herbívoros tinham comida à vontade e isso facilitou seu crescimento. E depois deles, os carnívoros. No Jurássico tudo ficou grande.

Compsognato

A distribuição dos dinossauros

A maior quantidade de dinossauros durante o Jurássico se concentrou na Europa: a "COSTA JURÁSSICA", ao sul da Inglaterra, foi declarada Patrimônio da Humanidade pela UNESCO devido à imensa quantidade de fósseis que contém. Já nos Estados Unidos e no Canadá foram encontrados poucos fósseis dessa época.

Os últimos grandes carnívoros

Desde o Jurássico, os TERÓPODES foram os únicos grandes carnívoros terrestres do planeta. Nesta era, os destaques foram o ALOSSAURO ("RÉPTIL ESTRANHO"), o SINRAPTOR ("LADRÃO CHINÊS"), o EPANTERIAS ("COM CONTRAFORTES") e o MONOLOFOSSAURO ("LAGARTO DE UMA CRISTA").

O compi Compsognato

"MANDÍBULA ELEGANTE": esse é o significado do nome do primeiro dinossauro do qual se encontrou um esqueleto mais ou menos completo. O COMPSOGNATO era um réptil de 1 metro de comprimento, tinha meio metro de altura e caminhava sobre duas patas. Viveu na França e na Alemanha há 150 milhões de anos.

Compsognatos

95 Penas ou escamas?

Não se sabe se o corpo do COMPSOGNATO era coberto de penas ou de escamas: por um pequeno pedaço de pele fossilizada encontrado na Alemanha, suspeita-se que ele poderia ter tido uma plumagem curta por todo o corpo. Mas a pele fossilizada do JURAVENATOR, muito parecido com o COMPI, só tem escamas. **Será que vamos chegar a saber a verdade?**

Compsognato

Carnotauro

96 Famoso por ter sido comido

Na história dos dinossauros estão os maiores, os de pescoços compridos ou os de dentes mais afiados. O BAVARISSAURO ficou famoso porque foi a refeição de um COMPSOGNATO. O esqueleto do Bavarissauro, um lagarto pequeno e veloz, foi encontrado dentro do corpo fossilizado de um Compi alemão e nos ensinou que o Compsognato deve ter sido muito rápido e bom de visão para poder caçar seu alimento.

Compsognato

Caçadores com cristas

Com duas cristas...

...e com uma só

Um dos primeiros grandes carnívoros do Jurássico foi o DILOFOSSAURO. O "LAGARTO COM DUAS CRISTAS" é uma boa descrição do aspecto desse caçador, que devia usar seu chapéu duplo para chamar atenção.

O MONOLOFOSSAURO **só tinha uma crista, feita de osso e localizada sobre o focinho.** Era um pouco menor que o DILOFOSSAURO (5 metros), porém mais pesado (uns 700 quilos). Seus fósseis foram encontrados numa região da China, próxima do mar: talvez comesse peixes.

99 Mandíbulas fracas

Considerando seu aspecto fantástico (6 metros de comprimento e meia tonelada de peso), o DILOFOSSAURO devia usar mais as garras que as mandíbulas para caçar, já que eram estreitas e não muito fortes. Ou quem sabe, depois de tudo, o Dilofossauro tenha sido um carniceiro, que se alimentava de animais mortos.

Dilofossauros

100 O dinossauro que chegou do frio

O CRIOLOFOSSAURO ("LAGARTO DE CRISTA FRIA") foi um dinossauro bípede que viveu na Antártida há 200 milhões de anos. É o terópode de cauda rígida mais antigo que se conhece e o primeiro dinossauro encontrado na Antártida. Por isso ganhou esse nome.

101 O Elvis dos dinossauros

A estranha crista do CRIOLOFOSSAURO atravessava sobre os olhos dele, em vez de ir da parte dianteira para a parte traseira do crânio: há quem diga que ele lembrava bastante o penteado de Elvis Presley nos anos 1950. Por isso, de brincadeira, há quem o chame de ELVISSAURO.

Oh, yeah!

102 O Gasossauro

Em 1985, estava sendo construída uma fábrica de gás em Dashanpu, na China. Durante a escavação, apareceram os fósseis de um novo dinossauro, porém sem cabeça. Era um terópode de cauda rígida que, em homenagem às circunstâncias, foi batizado como GASOSSAURO.

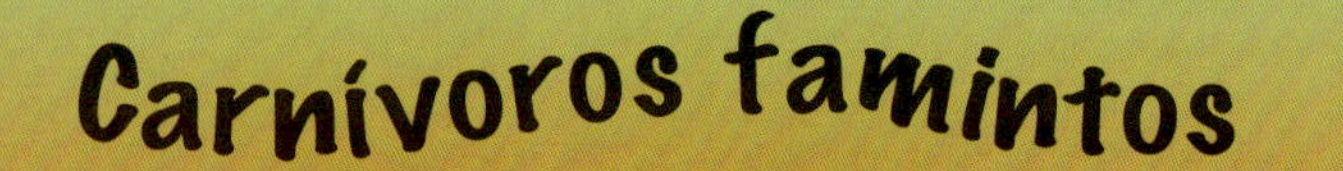

Carnívoros famintos

Iguanodonte

Maior que um caminhão

Com seus 15 metros de comprimento, o perigoso EPANTERIAS é um dos maiores carnívoros da história. Há 150 milhões de anos, caçava no oeste dos Estados Unidos, armado com dentes e garras afiados como facas.

Alossauros do mundo, uni-vos!

Possivelmente o EPANTERIAS era uma espécie de ALOSSAURO ("LAGARTO ESTRANHO"): o Alossauro terópode apareceu há 156 milhões de anos e foi um dos maiores predadores do planeta durante 12 milhões de anos. Foram encontrados fósseis em Portugal, Estados Unidos, Rússia e China, de maneira que foi um dinossauro comum em todo o mundo.

Comprido, grande e ligeiro?

O ALOSSAURO era tão comprido quanto dois carros (9 metros) e alto (3 metros), mas só pesava 2.500 quilos, o mesmo que o rinoceronte-indiano, que tem quase a metade do seu tamanho. Para alguém grande assim, o ALOSSAURO era bastante rápido.

106 Ossos de gigante

O MEGALOSSAURO foi o primeiro dinossauro descrito em toda a história: em 1676, um pedaço de osso foi encontrado perto de Oxford e entregue a ROBERT PLOT, professor da Universidade. Plot achou que o osso era grande demais para pertencer a alguma espécie conhecida. Assim, concluiu que se tratava do quadriL de um gigante! Hoje sabemos que era o fêmur de um Megalossauro.

Megalossauro

107 O poderoso Megalossauro

E o MEGALOSSAURO era todo grandalhão. Os restos desenterrados na Inglaterra nos falam de um monstro bípede do tamanho de um ônibus, com uma boca cheia de grandes dentes curvos em forma de serra: **um espanto!**

108 Tenho fome

Apesar do tamanho e da ferocidade, o MEGALOSSAURO pôde atacar até os saurópodes. Também é possível que às vezes comesse presas mortas. Mas não o culpe por ser ao mesmo tempo caçador e carniceiro. Para manter esse corpão, ele precisava de muita, muita comida.

Crescendo

109 Bom de olhos e de mira

CERATOSSAURO significa "RÉPTIL CORNUDO".
Esse terópode tinha um chifre de osso proeminente sobre o focinho e uns calombos duros sobre a cabeça e os olhos, que eram muito grandes: devia enxergar muito bem. Caçava em bandos.

110 O caçador de dragões

Durante a Idade Média, confundiram os dinossauros com DRAGÕES, mas até os dinos tiveram o seu São Jorge: o nome do DRACOVENATOR significa "CAÇADOR DE DRAGÕES".

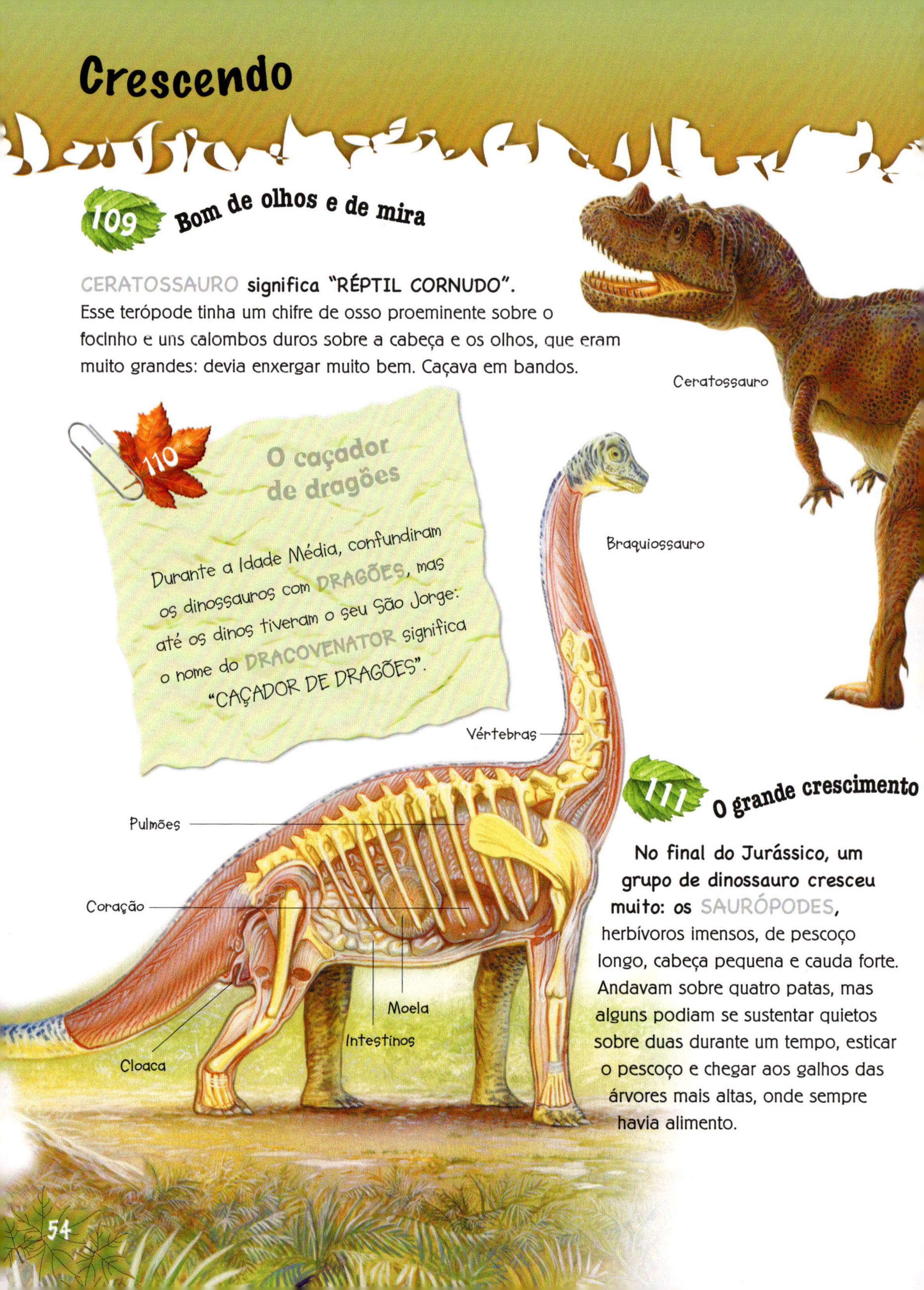

111 O grande crescimento

No final do Jurássico, um grupo de dinossauro cresceu muito: os SAURÓPODES, herbívoros imensos, de pescoço longo, cabeça pequena e cauda forte. Andavam sobre quatro patas, mas alguns podiam se sustentar quietos sobre duas durante um tempo, esticar o pescoço e chegar aos galhos das árvores mais altas, onde sempre havia alimento.

112 Pegadas redondas

As pegadas dos SAURÓPODES **eram redondas, ainda que os seus pés não fossem. Como pode ser isso?** Para gastar menos energia ao caminhar, eles tinham uma almofadinha circular na planta das patas traseiras. Essa almofadinha não cobria os dedos e, por isso, sua pegada era redonda. Argentina, Brasil, Índia e Mongólia são os países onde há melhores pegadas de dinos para se observar: algumas com até 1 metro.

Barossauro

O Barossauro deixava grandes pegadas com as patas traseiras e pequenas com as dianteiras.

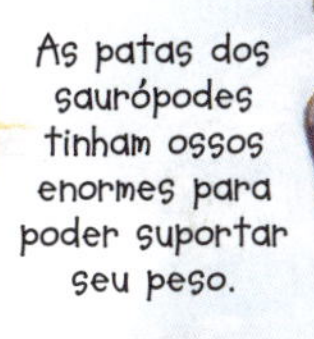

As patas dos saurópodes tinham ossos enormes para poder suportar seu peso.

Diplódoco

113 Os dedos

Os primeiros SAURÓPODES **podiam usar as mãos.** Mas, para crescer de verdade, tiveram que renunciar aos dedos; por isso, suas patas se transformaram em fortes colunas para suportar seu peso.

Crescendo mais

114 O falso trovão

Em 1877, o paleontólogo OTHNIEL C. MARSH descobriu um dinossauro ao qual deu o nome de APATOSSAURO ("FALSO LAGARTO") porque a cauda se parecia com a do MOSASSAURO (veja a curiosidade 271).

(veja a curiosidade 271)

Alguns anos depois, encontrou outro dinossauro maior e melhor conservado, que chamou de BRONTOSSAURO ("LAGARTO DO TROVÃO"). Mas em 1903 soube-se que o Brontossauro não passava de um Apatossauro adulto: os cientistas decidiram chamar a espécie com o primeiro nome que tinha sido usado e Brontossauro se transformou num bom sinônimo.

Apatossauro

115 Alcançando o Apatossauro!

Com 4,5 metros dos pés à cabeça, até 20 metros de comprimento (medida de cinco carros) e 40 toneladas de peso: quando este grandalhão começava a andar, seus passos deviam ressoar como verdadeiros estrondos de trovão por toda a planície jurássica. As 40 toneladas equivalem ao peso de... **26 automóveis!**

Apatossauro

116 Trovejante

O APATOSSAURO devia ser especialmente barulhento se, como parece, podia levantar-se sobre as patas traseiras para chegar aos galhos superiores. **Quando as patas caíam novamente, deviam provocar um barulho equivalente ao dos temporais mais fortes.**

117 Onde tenho a cabeça?

Em 1975, foi identificado pela primeira vez o crânio de um APATOSSAURO. Até então, todas as esculturas e desenhos desse animal estavam erradas: punham-lhe a cabeça de um outro dino de 20 metros com o qual conviveu, ainda que comessem plantas diferentes.

O gigantesco Braquiossauro

118 Quem é? Quem é?

Quem pesa entre 35 e 90 toneladas, pode chegar aos 25 metros de comprimento e quatro andares de altura? Se a sua resposta foi o BRAQUIOSSAURO, **você acertou!** O "LAGARTO BRAÇO" (seu descobridor achou suas patas dianteiras muito grandes) usava o superpescoço de 12 metros para se alimentar das folhas das copas das árvores sem ter de se colocar sobre duas patas.

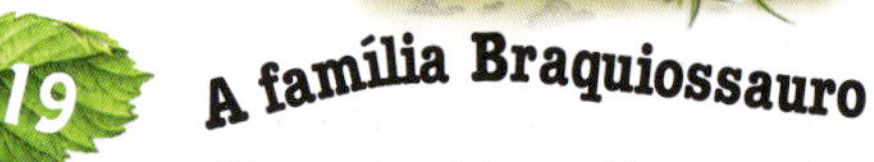

119 A família Braquiossauro

São conhecidas três espécies de BRAQUIOSSAUROS: o ALTITHORAX, desenterrado por ELMER RIGGS em 1900, no Colorado e em Utah (Estados Unidos); o GIRAFFAITAN, em 1914 na Tanzânia (África), com uma crista em forma de bolsa sobre o nariz; e o ALATAIENSIS, encontrado em 1957 em Extremadura (Espanha) e Portugal. Todos viveram há 145 milhões de anos.

120 Coração de Bráquio

O BRAQUIOSSAURO **tinha um coração potente, capaz de movimentar o sangue até sua elevada cabeça.** Quando não estava comendo, podia colocar o pescoço na posição horizontal para favorecer a circulação ou talvez tivesse uma espécie de segundo coração no pescoço para facilitar o bombeamento do sangue. **Observe a ilustração da página 54 para ver que ossos ele tinha!**

Braquiossauros

Camarassauros

121 Um mau nadador

Até os anos 1990, o BRAQUIOSSAURO **era desenhado em lagos e rios, mas parece que passava muito pouco tempo "de molho".** Se ficasse na água, faria muito menos esforço para mover o enorme corpo. O problema é que as patas do Braquiossauro eram estreitas e, ao mergulhar, se afundariam na lama.

122 O maior dinossauro

Com a licença do BRAQUIOSSAURO, **se falamos de dinossauros gigantes, o primeiro no qual pensamos é o** DIPLÓDOCO. Sua silhueta é a mais fácil de ser desenhada, quando se trata de dinossauros: cauda e pescoço compridos sobre quatro patas robustas. Durante muitos anos, seus 27 metros fizeram dele o dinossauro mais comprido já conhecido.

O Diplódoco e outros titãs

123 Dieta dos ossos

Junto com o DIPLÓDOCO, na América do Norte, viveram outros grandes répteis entre 159 e 144 milhões de anos: o CAMARASSAURO, por exemplo. Ele ganhou esse nome porque em cada uma das suas vértebras havia espaços ocos (ou "câmaras"). Sem esses vazios, ele não teria conseguido se mover. Os ossos do seu esqueleto eram duas vezes mais grossos que os do Diplódoco. Mesmo com essas câmaras de ar continuava pesando 20 toneladas a mais.

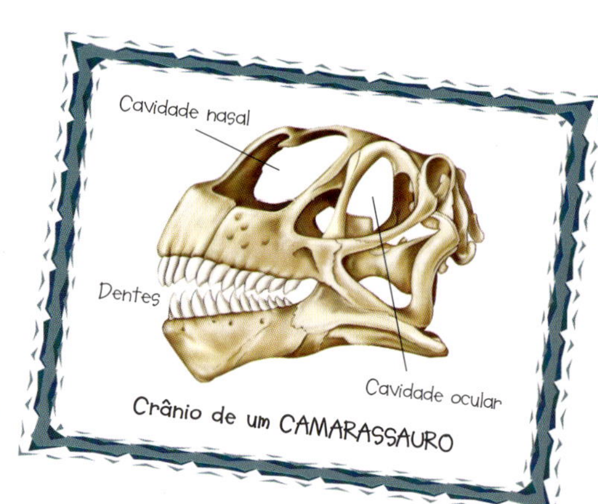

Crânio de um CAMARASSAURO

124 Bela cauda!

A cauda do DIPLÓDOCO era uma verdadeira maravilha de engenharia biológica: extremamente comprida, com mais de 80 vértebras, podia ser utilizada como defesa, para fazer barulho ou servir de contrapeso para o seu longo pescoço de 6 metros.

125 Cuidado: dinossauro frágil!

Alguns fósseis descobertos na China por OUYANG HUI em 1986 foram tão difíceis de reconstruir que o dinossauro ganhou o apelido de ABROSSAURO ("LAGARTO DELICADO").

Diplódoco

126 O curioso Shunossauro

doze metros de comprimento, 5 metros de altura, 8 toneladas de corpo maciço... Sim, o SHUNOSSAURO era um bom representante dos saurópodes e caminhou pela China há 170 milhões de anos. **Mas por que sua cauda terminava em uma clava cheia de pontas? É o único saurópode conhecido com essa característica.**

127 Estego, o telhado!

O ESTEGOSSAURO **("LAGARTO TELHADO") foi um dinossauro herbívoro que habitou os Estados Unidos e Portugal entre 156 e 144 milhões de anos.** É um dos dinossauros mais conhecidos: tinha quatro perigosos espinhos na cauda, que podiam medir até 60 centímetros, e uma fileira de placas largas sobre as costas.

Arquivo Estegossauro (I)

128 As placas do Estegossauro

A posição das placas do ESTEGOSSAURO foi discutida durante muitos anos e ao encontrar fósseis cada vez mais bem conservados, agora podemos garantir que se distribuíam em duas fileiras sobre o lombo, em posição vertical. É o único réptil com esse tipo de placas.

129 As placas

E para que serviam as placas do nosso amigo ESTEGOSSAURO, de 9 metros de comprimento? As placas eram finas e, por isso, ofereciam pouca defesa, mas faziam com que eles ficassem maiores até que alguns predadores, como o ALOSSAURO e o CERATOSSAURO. A grande quantidade de veias em seu interior permitia ao Estego ter as placas em cores vivas, bombeando sangue para o seu interior.

Sua temperatura

Durante o Jurássico, todos os dinossauros já eram animais de sangue quente. Ainda assim, o ESTEGOSSAURO comia muitas plantas que fermentavam em seu interior, gerando enormes quantidades de calor, por isso ele usava as placas para se esfriar. **Senão, teria se queimado!**

131 Muita placa e pouco osso

O corpo do ESTEGOSSAURO terminava em uma minúscula cabeça alongada: seu cérebro era um pouco maior que uma noz e os sentidos não deviam ser muito desenvolvidos: ainda bem que seus inimigos pensavam duas vezes antes de atacá-lo.

Estegossauros

Arquivo Estegossauro (II)

132 O dino de dois cérebros

Ou quem sabe o ESTEGOSSAURO era mais esperto do que parecia? Em 1880, o grande descobridor de dinossauros OTHNIEL MARSH encontrou na coluna desse dino um buraco que podia alojar um segundo cérebro para controlar os movimentos da cauda. Desde 1990, acredita-se que nesse espaço (existente também nos pássaros) havia um órgão que fornecia energia. **Que interessante!**

Estegossauros

Kentrossauros

133 O Estego e seus companheiros

Geralmente estamos nos referindo apenas às espécies principais de cada dinossauro, mas existem outras menos conhecidas. Por exemplo, o KENTROSSAURO ("LAGARTO PONTIAGUDO") foi um ESTEGOSSAURO da África Oriental, que tinha espinhos até a metade da coluna não apenas na cauda. Outro paren foi o HUAYANGOSSAURO CHINC com dois longos espinhos nos quadris. Mesmo assim o maior de todos foi o ESTEGOSSAURO.

134 A dieta do Estegossauro

O ESTEGOSSAURO só podia comer musgos, flores, frutas maduras e samambaias porque não alcançava os galhos das árvores.
As placas do Estego eram maravilhosas, mas sua boca não era muito funcional. Seus dentes planos não partiam bem as plantas e, além disso, sua mandíbula se movia muito pouco. Por isso comia pedras (chamadas gastrólitos), que, ao se misturar com as plantas no estômago, o ajudavam a fazer a digestão.

135 Os primeiros com armadura

Os CELIDOSSAUROS eram dinossauros ligeiramente encouraçados que viviam na América do Norte e na Europa no início do Jurássico. Parece que são os antepassados dos ANQUILOSSAUROS, e também primos dos ESTEGOSSAUROS.

Ferozes raptores

136 O raptor brasileiro

O SANTANARAPTOR ("PREDADOR DE SANTANA") foi um terópode carnívoro brasileiro, ágil e veloz, encontrado na formação Santana, na Bacia do Araripe, no Ceará. Bípede e de tamanho modesto, acredita-se que o fóssil encontrado, com 1,6 metro tenha sido de um indivíduo jovem e que eles pudessem medir até 2,5 metros quando adultos. Estudos preliminares também indicam parentesco com o famoso TIRANOSSAURO REX. Foi com base n família Tyrannoraptora que a equipe do Museu Nacional se inspirou pa reconstituir o crânio do Santanaraptor.

137 Que entrem os raptores

Os DROMEOSSAUROS são um grupo de terópodes, que desde o Jurássico caçaram na América do Norte, Europa, Japão, China, Mongólia, Madagascar e norte da África. Seu nome significa "LAGARTO CORREDOR" e familiarmente são chamados de "RAPTORES".

138 Situando os Dromeossauros

Esta família de predadores apareceu pela primeira vez há 167 milhões de anos e sobreviveu até a extinção dos dinossauros. Sua principal característica eram as enormes garras dos pés, mas o mais encontrado fóssil dos raptores do Jurássico são os dentes. **Deviam ser muito duros!**

139 O maior Dromeossauro

Toda a família dos RAPTORES era formada por terríveis predadores, com dentes afiados e garras cortantes.
O maior de todos era um autêntico pesadelo: o UTAHRAPTOR, um dromeossauro de 7 metros de comprimento e uma tonelada de peso, que viveu nos Estados Unidos há 120 milhões de anos.

140 Deinonico ou Velociraptor?

Os predadores mais perigosos de *Parque dos Dinossauros* são os VELOCIRAPTORES. No filme, eles têm 2 metros de comprimento, mas os Velociraptores só mediam a metade. **Por que o diretor os colocou maiores?** Na verdade, outro DROMEOSSAURO, o DEINONICO, é que era grande assim e há pouco tempo foi incorporado ao grupo dos Velociraptores. Então os Deinonicos de Spielberg eram sim Velociraptores.

141 Liberdade ficcional

O *PARQUE DOS DINOSSAUROS (Jurassic Park)*, de MICHAEL CRICHTON, é a série de novelas e filmes que voltou a colocar os dinossauros na moda.

Mas a maioria dos dinossauros do parque não é do período Jurássico: o TRICERATOPE, o VELOCIRAPTOR e o TIRANOSSAURO, por exemplo, pertencem ao Cretáceo.

Velociraptor

Deinonico

A grande era dos dinossauros

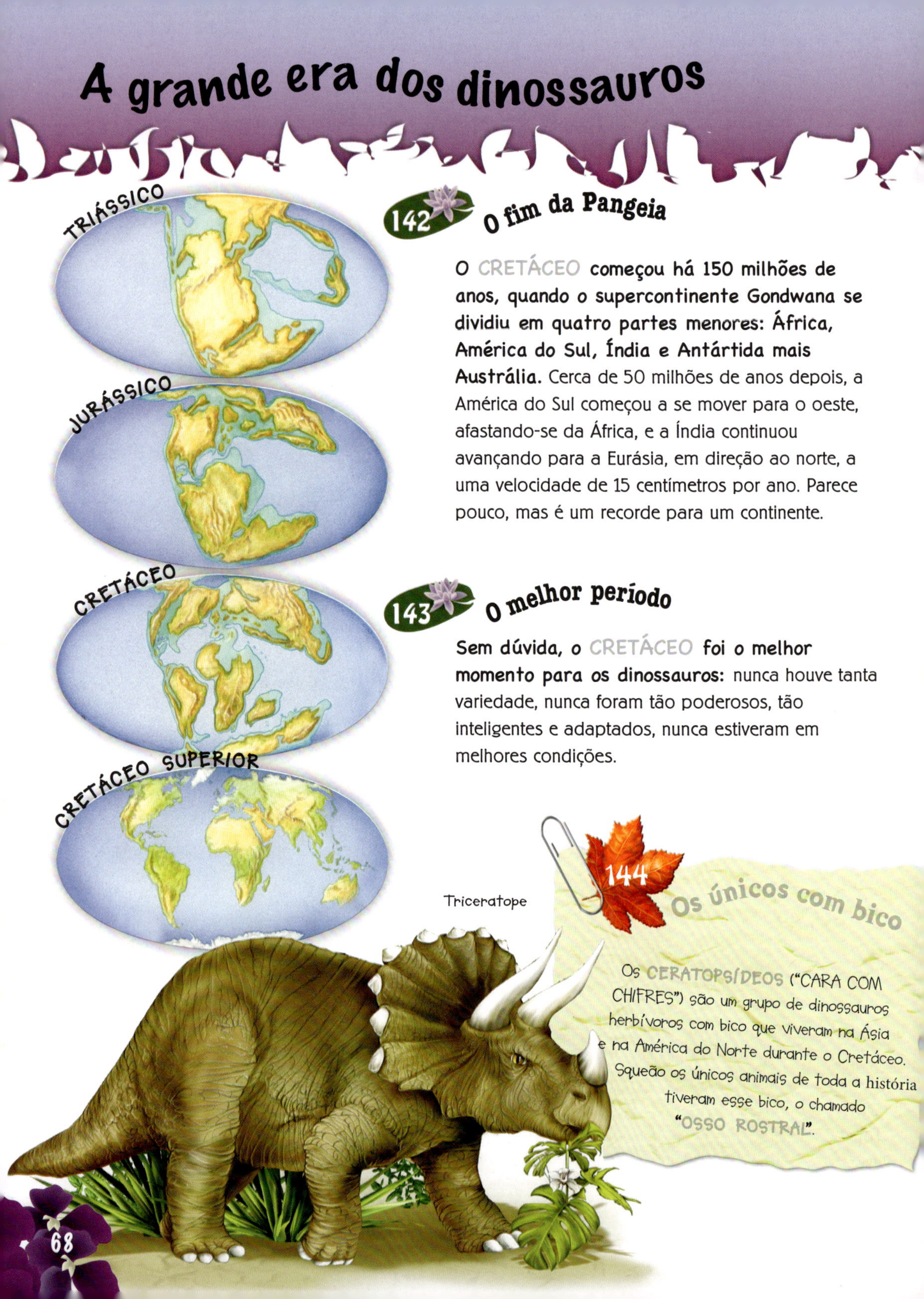

142 O fim da Pangeia

O CRETÁCEO começou há 150 milhões de anos, quando o supercontinente Gondwana se dividiu em quatro partes menores: África, América do Sul, Índia e Antártida mais Austrália. Cerca de 50 milhões de anos depois, a América do Sul começou a se mover para o oeste, afastando-se da África, e a Índia continuou avançando para a Eurásia, em direção ao norte, a uma velocidade de 15 centímetros por ano. Parece pouco, mas é um recorde para um continente.

143 O melhor período

Sem dúvida, o CRETÁCEO foi o melhor momento para os dinossauros: nunca houve tanta variedade, nunca foram tão poderosos, tão inteligentes e adaptados, nunca estiveram em melhores condições.

144 Os únicos com bico

Os CERATOPSÍDEOS ("CARA COM CHIFRES") são um grupo de dinossauros herbívoros com bico que viveram na Ásia e na América do Norte durante o Cretáceo. Squeão os únicos animais de toda a história tiveram esse bico, o chamado "OSSO ROSTRAL".

145 O Psitacossauro

A maioria dos CERATOPSÍDEOS **era quadrúpede, mas um dos primeiros a andar sobre duas patas** foi o PSITACOSSAURO ou "LAGARTO PAPAGAIO". Esses dinossauros do tamanho de uma gazela eram muito rápidos e tinham dentes bastante curiosos, que se afiavam sozinhos.

146 A variedade do Psitacossauro

Os PSITACOSSAUROS **viveram entre 130 e 100 milhões de anos atrás.** Foram descobertas oito espécies diferentes na China e na Mongólia.

147 A pele do Psitacossauro

Outra das maravilhas do PSITACOSSAURO **é que sabemos como ele era por fora!** Foi encontrado na China um exemplar tão bem conservado que se podia ver escamas menores que ele tinha entre as maiores. Descobriu-se até que no dorso da cauda havia pelos longos e penas primitivas com as quais talvez se comunicasse.

Os maravilhosos dinos chifrudos

148 Os últimos da fila

O TRICERATOPE **vivia em manadas, como os búfalos modernos.** Quando ele foi descoberto em 1887, os paleontólogos acreditaram que se tratava de uma nova espécie de búfalo. Foi um dos últimos dinossauros e se tornou o herbívoro mais abundante no final do Cretáceo.

149 O grande Triceratope

O TRICERATOPE **("CARA COM TRÊS CHIFRES") era tão grande quanto dois mamutes em fila:** tinha 9 metros de comprimento e pesava em média 7 toneladas. Tinha a maior cabeça entre todos os animais terrestres que já existiram. **Um cabeção que podia chegar a medir 3 metros!**

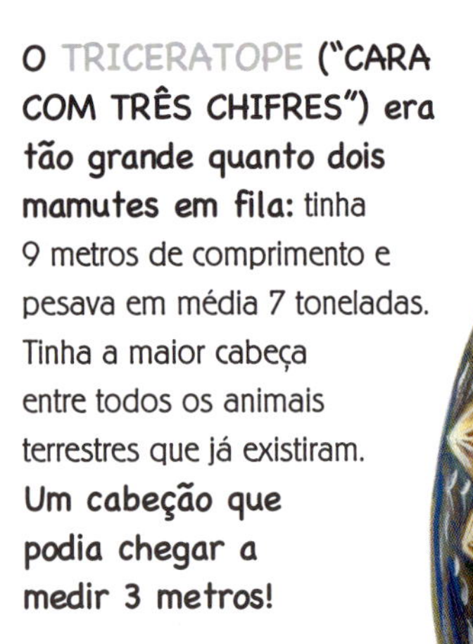

Triceratope

150 Cabeça dura!

Muitos fósseis de TRICERATOPES **têm aparecido com ossos quebrados:** é que eles brigavam muito, já que 7 toneladas de carne fresca davam água na boca dos carnívoros. Mas os crânios dos Triceratopes sempre apareceram em bom estado: **eram duríssimos para que o nosso amigo com chifres pudesse encarar seus predadores.**

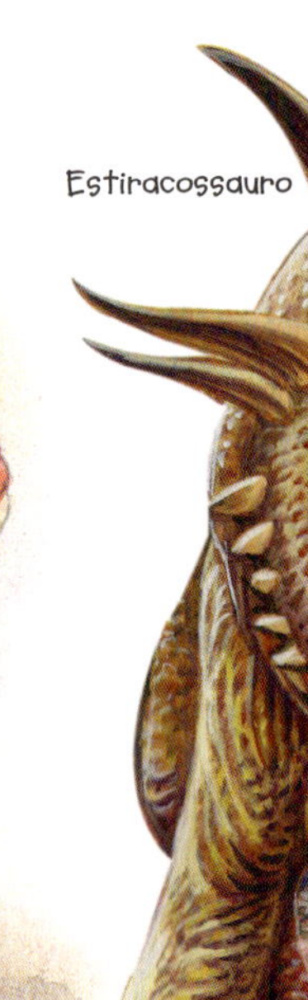

Estiracossauro

151 Chifre multiuso

O TRICERATOPE **tinha dois chifres de 1,5 metro na frente e um chifre menor no nariz.** Provavelmente eram a sua defesa contra os grandes carnívoros. Talvez usasse os chifres para ancorar melhor os músculos da mandíbula ou pode ser que os agitassem para se comunicar ou para assustar os seus inimigos.

152 Prêmio para quem completar um Triceratope

Até hoje ninguém conseguiu achar um esqueleto completo de um TRICERATOPE, apesar de ele ser um dinossauro bem conhecido pela grande quantidade de fósseis já encontrada e que tem permitido que se complete o quebra-cabeças.

Centrossauros

153 Chifre ao contrário

Outro ceratopsídeo curioso foi o EINIOSSAURO PROCURVICORNIS. O nome diz tudo: "LAGARTO BÚFALO COM CHIFRE INCLINADO PARA FRENTE". Além dos chifres curtos que coroavam sua crista-escudo, o Einiossauro tinha um chifre virado para frente no nariz. Até agora seus fósseis só foram encontrados nos Estados Unidos.

O indescritível Iguanodonte

154 Iguanodonte, o primeiro da classe

A primeira espécie de dinossauro identificada foi o IGUANODONTE, descoberto em 1822 pelo geólogo inglês GIDEON MANTELL. Ele recebeu esse nome porque seus dentes lembravam os das iguanas. Parecidos, mas 20 vezes maiores que os das iguanas...

155 O bico

O IGUANODONTE desgastava o bico de tartaruga – que não parava de crescer –, roendo as folhas que comia. Senão, acabaria encravado.

Iguanodontes

156 Altos e baixos

Há muita diferença de altura entre as diferentes espécies de IGUANODONTES**:** algumas, como o IGUANODONTE FITTONI ITALIANO, mediam 6 metros, e outras, como o IGUANODONTE BERNISSARTENSIS DA BÉLGICA, até 15 metros de comprimento.

157 Um Iguanodonte flautista

Durante o Cretáceo, boa parte da Europa ficou inundada. Aquele mar interior tinha ilhas nas quais também havia dinossauros, versões menores dos dinos da época. Um deles foi o RHABDODONTE ("DENTES EM FORMA DE FLAUTA"), um pequeno IGUANODONTE de apenas 2 metros de altura e 12 de comprimento, que andava sobre duas e quatro patas. As ilhas nas quais viveu formam hoje parte da Espanha, França e Romênia.

Amargassauro e Hipsilofodonte

158 O dinossauro de La Amarga

O AMARGASSAURO foi um membro de uma família de saurópodes de pescoço curto. Media 10 metros de comprimento, 4 de altura e pesava 8 toneladas. Tinha uma fileira de altas espinhas duplas nas costas. Foi descoberto na formação geológica de La Amarga, na província argentina de Neuquén.

Amargassauro

159 Velas misteriosas

Certamente as espinhas do AMARGASSAURO eram recobertas de pele, por isso lembravam velas de barco sobre as costas. Como acontece com outros dinossauros "com velas", como o ESPINOSSAURO ou o OURANOSSAURO, permanece o mistério de sua utilidade: **para se comunicar ou para se refrescar?**

160 Mostre-me os dentes (I)

Os primeiros ossos de HIPSILOFODONTE foram encontrados em 1849 e confundidos com os do IGUANODONTE. Só em 1870 descobriram as diferenças: o Hipsilofodonte tinha 28 "dentes protuberantes" em forma de folha e, diferente de outros dinossauros, tinha uma característica bem simples: bochechas que permitiam que ele mastigasse melhor. Seus fósseis têm sido encontrados na Espanha, Portugal, sul da Inglaterra e Estados Unidos.

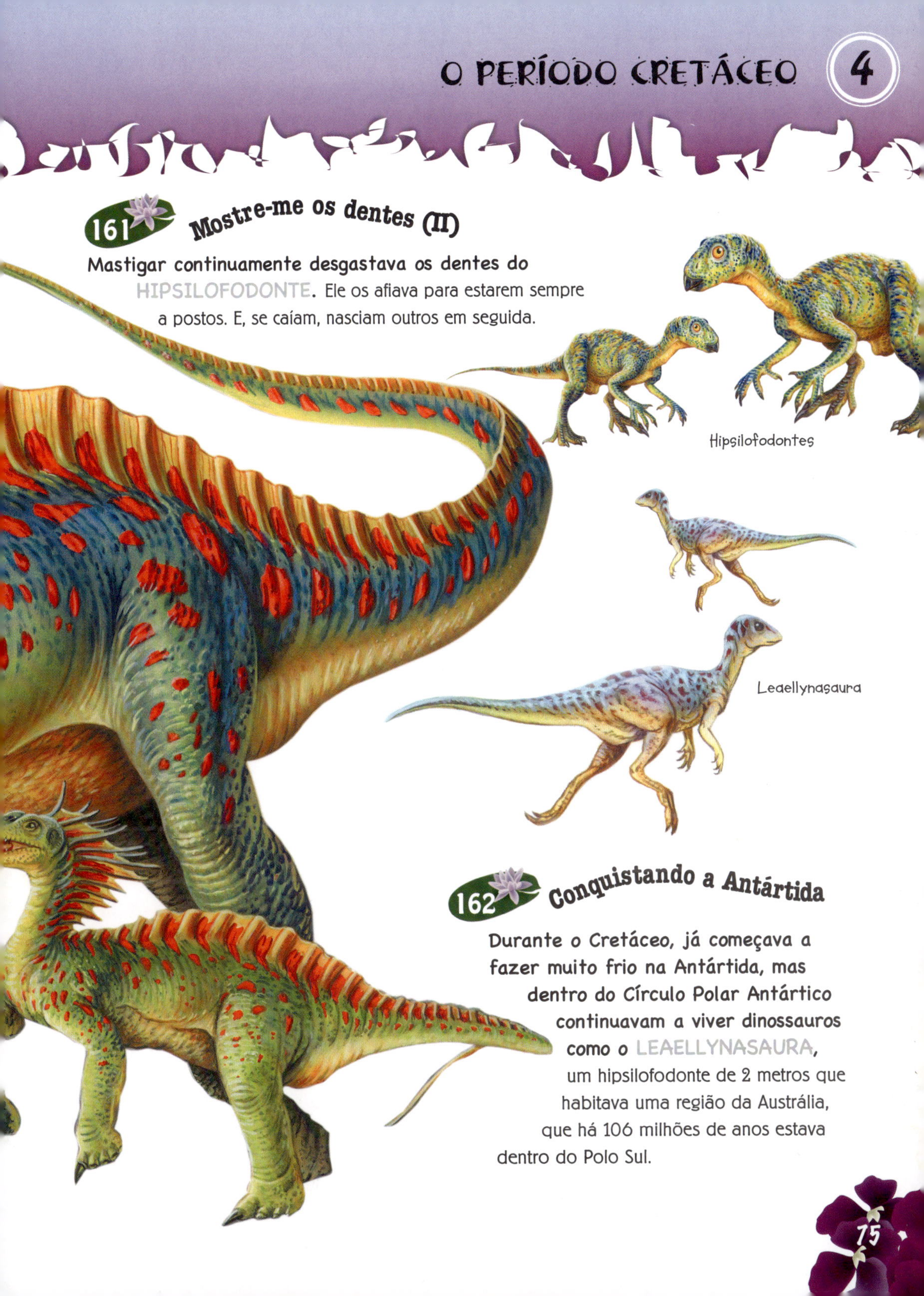

161 Mostre-me os dentes (II)

Mastigar continuamente desgastava os dentes do HIPSILOFODONTE. Ele os afiava para estarem sempre a postos. E, se caíam, nasciam outros em seguida.

162 Conquistando a Antártida

Durante o Cretáceo, já começava a fazer muito frio na Antártida, mas dentro do Círculo Polar Antártico continuavam a viver dinossauros como o LEAELLYNASAURA, um hipsilofodonte de 2 metros que habitava uma região da Austrália, que há 106 milhões de anos estava dentro do Polo Sul.

A família Hadrossauro

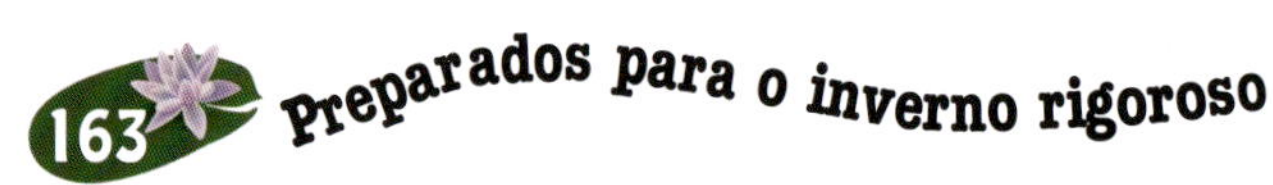

163 Preparados para o inverno rigoroso

O inverno e o verão duram muito mais nos polos que no resto do planeta. É possível que o LEAELLYNASAURA não tomasse sol durante muitas semanas ou meses seguidos, mas a evolução o ajudou: tinha olhos grandes que captavam os raios de luz mais fracos. A parte do seu cérebro que controlava a visão era muito desenvolvida para que enxergasse bem mesmo com pouca luz.

Maiassauros

164 Os dinossauros de bico de pato

Os HADROSSAUROS ("LAGARTOS ROBUSTOS") foram uma família de dinossauros ornitisquianos muito numerosos na Laurásia e na América do Sul durante o Cretáceo. Eram dinossauros herbívoros médios e grandes, cujos focinhos terminavam em uma espécie de bico de pato. E tinham dentes para mastigar as plantas.

Hadrossauro

165 O primeiro dinossauro no espaço

Em 1995, um fóssil de MAIASSAURO se tornou o primeiro dinossauro a viajar ao espaço. Três anos depois, o ônibus espacial Endeavour levou um crânio de CELÓFISE para passear na Estação Espacial MIR. Ambos voltaram em bom estado e hoje descansam no Museu Carnegie, em Nova York.

166 Uma boa mãe

Temos estudado bastante os costumes do MAIASSAURO **("LAGARTO BOA MÃE"), um hadrossauro descoberto pelo americano JACK HORNER em 1979.** O Maiassauro recebeu esse nome carinhoso quando encontraram ninhos com cascas de ovos, esqueletos de filhotes e fósseis de folhas, frutas e sementes: foi o primeiro grande dinossauro conhecido que cuidava de suas crias quando eram pequenas.

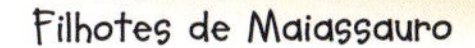
Filhotes de Maiassauro

167 Crescendo rápido

Durante a incubação, os BEBÊS MAIASSAUROS **mediam 50 centímetros; seus ossos eram leves e as patas, fracas.** Mas os bebês cresciam muito rápido: em um mês já mediam um metro; com dois anos, o Maiassauro atingia os 3 metros. É possível que crescessem rapidamente por serem animais de sangue quente.

Paqui, o Paquicefalossauro

168 Bonito capacete

Há nomes que caem bem aos dinossauros que os carregam. Existem muitos caçadores rápidos, por isso qualquer um deles poderia se chamar "VELOCIRAPTOR"; mas você conhece muitos dinossauros com capacete? O PAQUICEFALOSSAURO tinha uma crista baixa e arredondada sobre a cabeça, media 10 metros de comprimento e pesava 4 toneladas.

169 O capacete do Paquicefalossauro

Tudo o que sabemos a respeito deste herbívoro é resultado do encontro, nos Estados Unidos, de um crânio e vários de seus duríssimos "capacetes". PAQUICEFALOSSAURO significa "RÉPTIL DE CABEÇA GROSSA" porque esses cascos eram, na realidade, um osso de 25 centímetros de espessura. Mais espesso que dois tijolos.

170 Não em combate

O PAQUICEFALOSSAURO **provavelmente usava o "capacete" para chamar a atenção das fêmeas ou intimidar seus adversários.** Mas, com certeza, não os usava para atacar outras criaturas: apesar de ser bem duro, seu pescoço não era muito resistente e teria suas vértebras quebradas se fosse usado como os chifres de um carneiro.

Paquicefalossauros

171 Um demônio com capacete

Um parente do PAQUICEFALOSSAURO foi o STYGIMOLOCH, o "DEMÔNIO DO RIO DO INFERNO". Ele viveu tranquilamente no final do Cretáceo comendo plantas e refugiado em rebanhos para proteger-se dos TIRANOSSAUROS. Se era tão tranquilo, **por que tinha um nome tão terrível?** Porque seu "capacete" era rodeado por seis longos espinhos, como chifres, que lhe davam um aspecto demoníaco.

Stygimoloches

Patos mergulhadores

172 Os hadrossaurídeos: uma família inteira

O primeiro CORITOSSAURO foi encontrado em 1912 no Canadá: foi importante porque tinha pedaços de pele fossilizada, algo incomum. Ao seu lado havia outros fósseis, como o PARASSAUROLOFO, o LAMBEOSSAURO e o GRYPOSSAURO. Isso indica que os Coritossauros deviam conviver em manadas com outros hadrossaurídeos.

173 Outra vítima da guerra

Aquele primeiro CORITOSSAURO não teve um final feliz. Em 1916, durante a Primeira Guerra Mundial, o barco que o levava para a Inglaterra foi afundado por um cruzador de guerra alemão, o SMS Möwe. Os dinossauros continuam no fundo do Oceano Atlântico, à espera de que algum dia os resgatem.

174 Um dinossauro mergulhador (I)

O PARASSAUROLOFO **é um dos dinossauros de bico de pato mais estranhos.** Tinha uma enorme crista-tubo sobre a cabeça, que se destacava para trás: media quase 2 metros e era ligada ao nariz. Servia-lhe para respirar quando mergulhava na água, algo de que gostava muito, e para fazer ruídos, como os de um trombone, para se comunicar.

Parassaurolofo

175 Um dinossauro mergulhador (II)

O nome do PARASSAUROLOFO significa "PARECIDO COM O SAUROLOFO", em referência a outro dinossauro que viveu naqueles tempos. Podia caminhar sobre duas ou quatro patas: preferia a segunda forma quando comia; mas, se precisava correr, ficava em pé sobre as patas traseiras. Tinha 10 metros de comprimento, uns 5 metros de altura e pesava 3.500 quilos.

176 O maior pato do mundo

No Canadá, Estados Unidos e México foram encontrados fósseis do maior HADROSSAURÍDEO e maior ornitisquiano da Terra: o LAMBEOSSAURO. Media até 16 metros! Ele tinha uma crista como a do PARASSAUROLOFO e também podia caminhar sobre duas patas. Seu nome lhe foi dado por um dos primeiros paleontólogos do Canadá, LAWRENCE LAMBE.

O ataque dos Galimimos

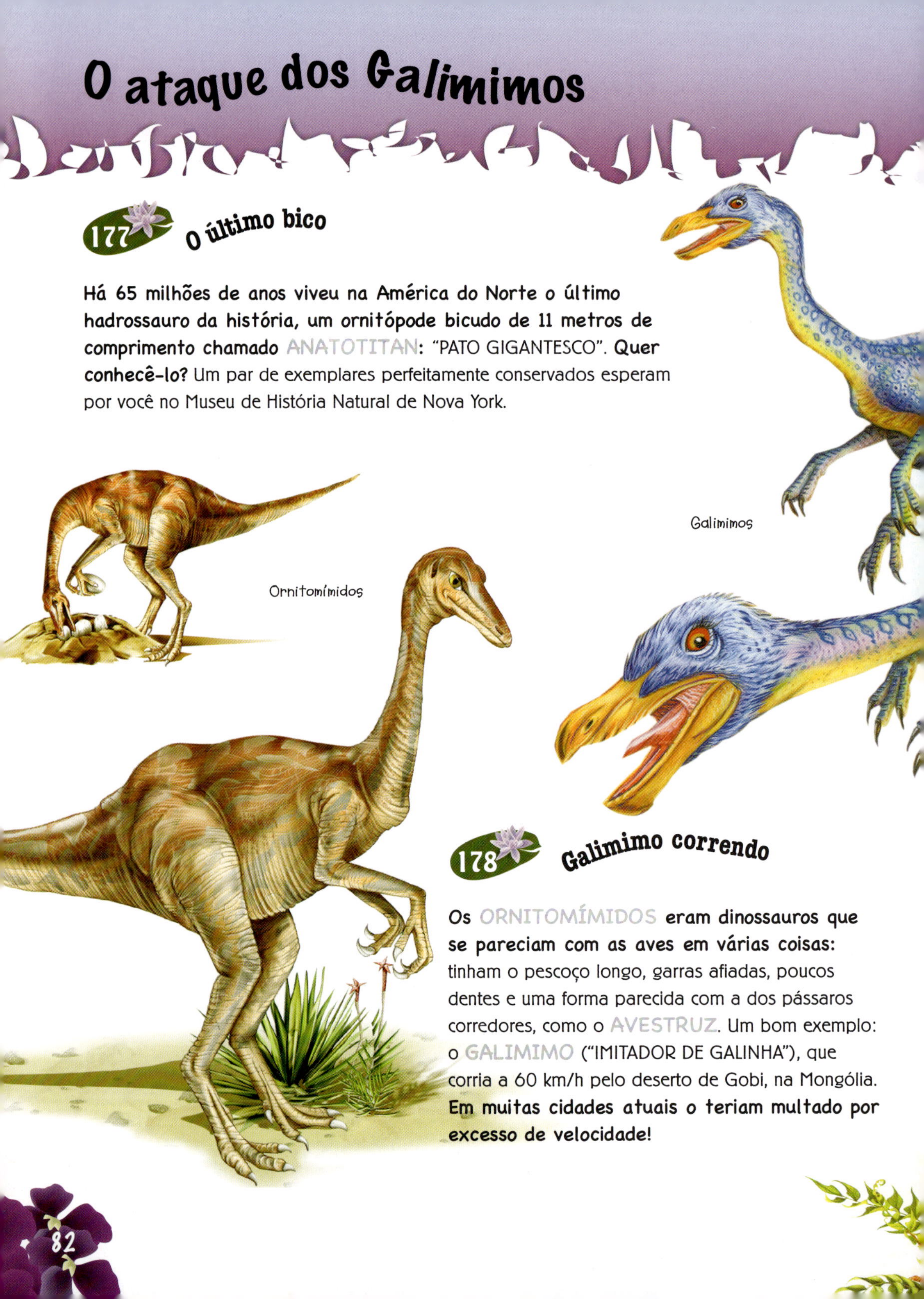

177 O último bico

Há 65 milhões de anos viveu na América do Norte o último hadrossauro da história, um ornitópode bicudo de 11 metros de comprimento chamado ANATOTITAN: "PATO GIGANTESCO". **Quer conhecê-lo?** Um par de exemplares perfeitamente conservados esperam por você no Museu de História Natural de Nova York.

178 Galimimo correndo

Os ORNITOMÍMIDOS eram dinossauros que se pareciam com as aves em várias coisas: tinham o pescoço longo, garras afiadas, poucos dentes e uma forma parecida com a dos pássaros corredores, como o AVESTRUZ. Um bom exemplo: o GALIMIMO ("IMITADOR DE GALINHA"), que corria a 60 km/h pelo deserto de Gobi, na Mongólia. **Em muitas cidades atuais o teriam multado por excesso de velocidade!**

179 Galimimo: dados práticos

O GALIMIMO foi descoberto em 1970 e três paleontólogos lhe deram esse nome. Media até 6 metros de comprimento e pesava menos de 450 quilos porque tinha ossos ocos: precisava ser leve se queria correr tanto.

180 A surpreendente boca do Galimimo

Ao comparar o bico do GALIMIMO com o das TARTARUGAS e alguns pássaros das regiões úmidas, como os FLAMINGOS, descobriu-se que ele filtrava animais diminutos e água, ajudando com a ajuda da língua. Era um carnívoro pouco convencional.

O incontrolável Anquilossauro

181 Um tanque cretáceo

Ainda não se encontrou nenhum esqueleto completo, mas, apesar disso, o ANQUILOSSAURO **("LAGARTO ENCOURAÇADO") é muito importante no grupo dos dinos tireóforos:** é o fundador de um gênero de quadrúpedes com o corpo blindado por pesadas placas e um porrete de osso na cauda. De todos eles, o ANQUILO foi o maior, já que chegava a medir até 9 metros de comprimento.

Anquilossauro

182 As defesas

O corpo do ANQUILOSSAURO **era inteiro coberto por duras placas de osso, como as dos crocodilos.** Além disso, os ossos de seu crânio e de outras partes do corpo eram unidos entre si para que fossem difíceis de quebrar.

183 O corpo

Apesar de suas impressionantes defesas, o ANQUILOSSAURO também tinha escamas duras e arredondadas que protegiam a parte superior de seu crânio, e quatro longos chifres piramidais que apontavam para trás.

184 A cauda e o porrete

Além disso, algum valentão poderia atrever--se a provar a sorte. A melhor defesa é um bom ataque e o ANQUILOSSAURO também podia atacar: sua cauda terminava em um pesado e duro conjunto de ossos que podia mover como quisesse. Com um golpe desse porrete podia quebrar ossos.

Anquilossauros

185 Belo nome

Um parente do ANQUILOSSAURO foi o MINMI. Nome curioso, não é verdade? E ele é chamado assim porque seus fósseis apareceram numa região da Austrália conhecida como Minmi Crossing, onde viveu entre 119 e 113 milhões de anos atrás.

186 Placas diferentes

O MINMI também tinha armadura na cabeça, nas costas, no abdômen, nas pernas e na cauda. E placas de osso do tamanho de um CD ao longo das vértebras, que lhe davam um pouco de proteção extra.

AUSTRÁLIA

Minmi

MINMI CROSSING

O mundo dos dinossauros

187 O nome mais curto

Atualmente, o dinossauro com o nome mais curto é o MEI, um pequeno carnívoro que tem o mesmo tamanho de um pato. Foi encontrado na China, com a cara embaixo do braço, a postura das aves quando dormem. O nome completo desse animal é MEI LONG, que significa "DRAGÃO PROFUNDAMENTE ADORMECIDO". Shhhh.... não acorde o dragão.

188 Os saurópodes do Cretáceo

No Cretáceo, os SAURÓPODES continuaram evoluindo: os predadores TERÓPODES se tornaram mais terríveis e os CERATOPSÍDEOS defendiam muito bem o seu território. Assim, já não era mais uma vantagem serem tão grandes e os saurópodes começaram a ficar menores.

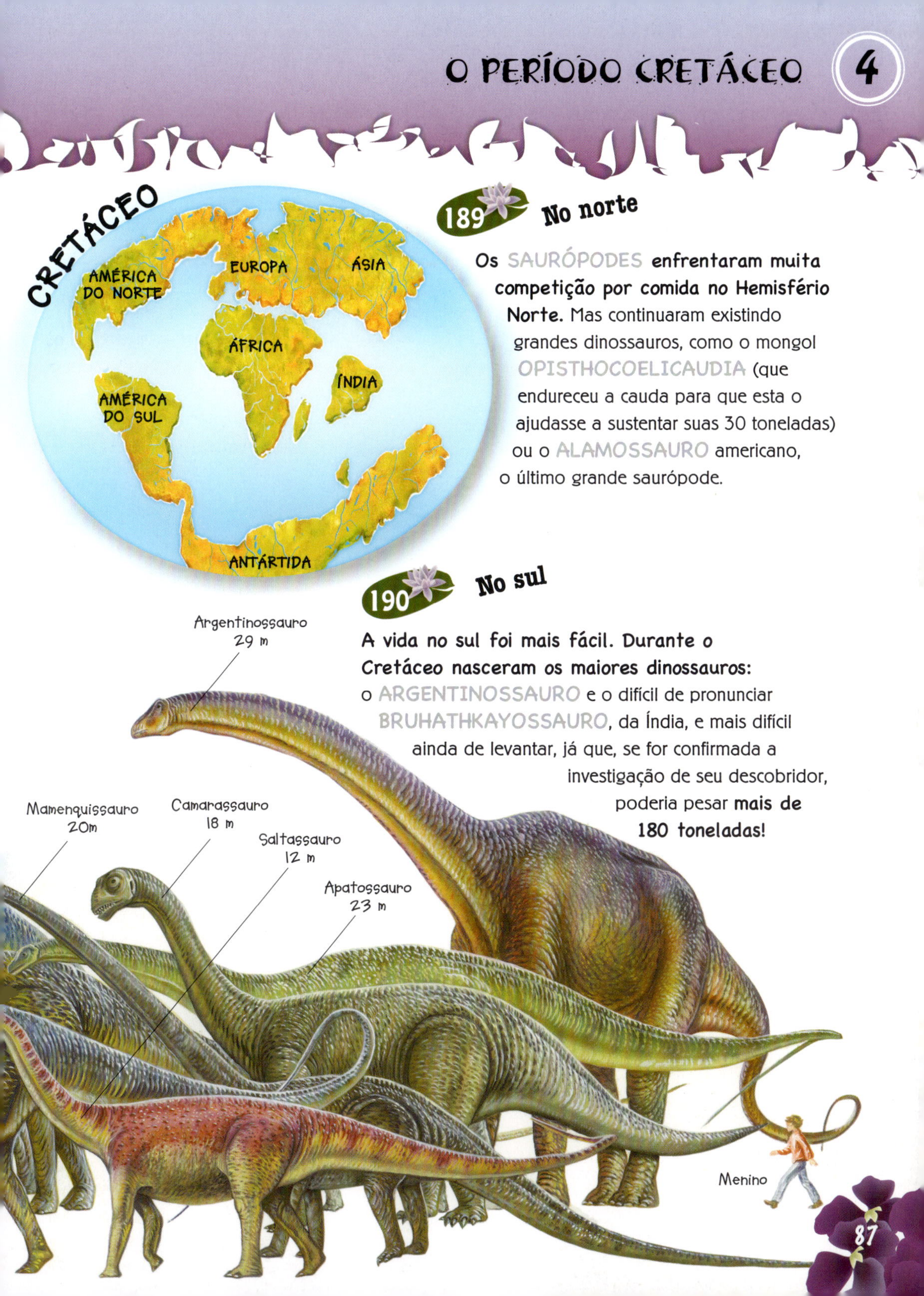

189 No norte

Os SAURÓPODES enfrentaram muita competição por comida no Hemisfério Norte. Mas continuaram existindo grandes dinossauros, como o mongol OPISTHOCOELICAUDIA (que endureceu a cauda para que esta o ajudasse a sustentar suas 30 toneladas) ou o ALAMOSSAURO americano, o último grande saurópode.

190 No sul

A vida no sul foi mais fácil. Durante o Cretáceo nasceram os maiores dinossauros: o ARGENTINOSSAURO e o difícil de pronunciar BRUHATHKAYOSSAURO, da Índia, e mais difícil ainda de levantar, já que, se for confirmada a investigação de seu descobridor, poderia pesar **mais de 180 toneladas!**

O terrível T-REX

191 O rei tirano

Os TIRANOSSAUROS **("RÉPTIL TIRANO") viveram no oeste da América do Norte no final do Cretáceo.** Receberam esse nome do paleontólogo HENRY F. OSBORN, que ficou impressionado com o tamanho e os dentes afiados do fóssil que encontrou em 1908.

Tiranossauro

192 Que medo!

Muito medo! Você não ficaria assustado diante de um réptil de 12 m e 7 toneladas farejando a folhagem da selva cretácea? A cabeça do TIRANOSSAURO media mais de 1 metro. Se quebrasse um dente, um outro logo crescia no lugar. Alguns de seus ossos eram ocos: a maior parte de seu esqueleto continuava sendo forte, mas, ao mesmo tempo, com capacidade para mover-se com agilidade.

193 Um mistério muito popular

Só foram encontrados 30 fósseis de TIRANOSSAURO REX **em todo o mundo e apenas três crânios.** Ele viveu apenas 3 milhões de anos, até a extinção dos dinossauros, mas é o animal pré-histórico mais famoso e o que mais vezes apareceu em filmes, novelas e desenhos animados.

Pode comparar um dente humano com o dente de um Tiranossauro rex.

Crânio de um Tiranossauro

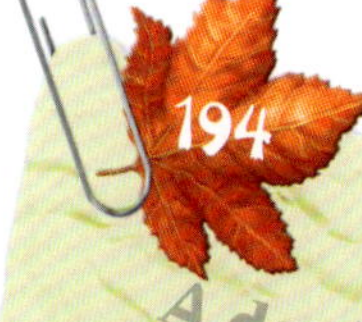

194 A dentadura do T-Rex

Os dentes do TIRANOSSAURO mediam 20 centímetros e eram sua principal arma para debilitar as presas. Ainda que não fossem muito pontiagudos, o Rex deu as mordidas mais poderosas da História, com força suficiente para triturar um carro. Por isso tinha os braços tão pequenos: **não precisava deles para caçar!**

195 O que o T-REX comia?

Não está claro se o TIRANOSSAURO **fincava os dentes em algum cadáver se tivesse oportunidade.** Mas é certo que não foi um carniceiro: **quer uma prova?** Foi encontrado um fóssil de TRICERATOPE que havia sido mordido por um Rex: o herbívoro havia chegado a curar-se depois da briga e ficou claro que o Tiranossauro gostava de presas vivas.

Os perigos do Cretáceo

196 A velocidade do Tiranossauro

Tiranossauro

Apesar do esqueleto parcialmente oco, o REX tinha músculos muito fortes nas patas traseiras: tudo isso lhe permitia alcançar até 70 km/h, correndo um grande risco porque, se tropeçasse a essa velocidade, suas 6 toneladas se estatelariam no chão. De qualquer forma, isso não importa muito: inclusive porque se o Tiranossauro podia correr tanto, é certo que suas presas (pesados herbívoros) não o faziam.

197 Tiranossauro ou... Manospondylus?

HENRY OSBORN deu o nome de TIRANOSSAURO a um fóssil que encontrou no Colorado. Anos atrás, EDWARD COPE já havia descoberto duas vértebras desse animal, mas o batizou de MANOSPONDYLUS GIGAS. Em Zoologia, é válido apenas o primeiro nome que se dá a um animal, exceto se esse nome não foi usado desde 1899 e o segundo tem sido publicado com frequência. Foi assim que o Tiranossauro roubou a coroa do Manospandylus.

Carnotauro

198 Colônia de Saltassauros

Salta é um lugar da gelada Patagônia argentina. Imagine um grande bando de animais amontoados para se proteger do frio com o calor corporal do grupo... Podiam ser pinguins ou focas, mas são dinossauros de 12 metros de comprimento e 25 toneladas: os SALTASSAUROS, que cuidavam de seus filhotes até que fossem quase adultos.

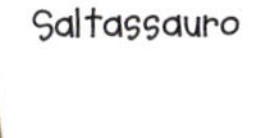

199 Olé, Carnotauro!

O CARNOTAURO ("TOURO CARNÍVORO"), um terópode de tamanho médio, entrou para a História por seus chifres de touro. Pelas impressões da pele que foi conservada, sabemos que era cheia de calombos, que ficavam maiores nas proximidades da cauda.

200 Assunto espinhoso

Além da proteção que seu tamanho e o grupo ofereciam, o SALTASSAURO tinha outras defesas. Podia utilizar a cauda como chicote; nas costas e nos lados tinha escudos de osso; das vértebras de seu pescoço saíam longos espinhos. Um lanche que poderia engasgar qualquer predador...

Os dinossauros egípcios

201 Um dragão egípcio

Falando em dinossauros espinhosos, o ESPINOSSAURO, encontrado no Egito e no Marrocos, é um dos dinossauros mais raros já conhecidos: era como um TIRANOSSAURO magro com cabeça de crocodilo, dedos longos, com enormes garras e uma espinhosa crista de dragão nas costas.

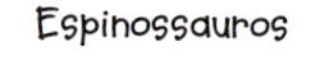

Espinossauros

202 O carnívoro que comia peixes

Apesar de tudo isso, o ESPINOSSAURO, o maior dinossauro carnívoro da Terra (media até 17 metros, tão comprido quanto quatro automóveis em fila indiana!), com um crânio onde você caberia inteiro, não devia assustar muito. A forma de seus dentes indica que se alimentava principalmente de peixes.

203 Dentes de tubarão

Se não fosse o fato de só gostar de peixes, o ESPINOSSAURO teria enfrentado outro enorme terópode: o CARCHARODONTOSSAURO, que também viveu no norte da África entre 113 e 97 milhões de anos. Seu nome significa "DINOSSAURO COM DENTES DE TUBARÃO".

204 Totalmente ousado

Ainda maior e mais pesado que o TIRANOSSAURO americano, com garras afiadas nos três dedos de suas mãos e dentes como punhais, o CARCHARODONTOSSAURO era um predador absoluto que lutava até com as maiores presas do mundo: os SAURÓPODES.

Carcharodontossauro

205 Destruído

O primeiro fóssil de CARCHARODONTOSSAURO, encontrado por CHARLES DEPÉRET em 1927, foi destruído pelos bombardeios sobre Munique, durante a Segunda Guerra Mundial. Depéret acreditava que era um MEGALOSSAURO, até que o barão ERNST STROMER VON REICHENBACH, descobridor dos DINOSSAUROS EGÍPCIOS, mostrou-lhe o erro.

Monstros no ninho

Daspletossauro

Terizinossauro

206 Garras nos pés

Alguns terópodes, como o amedrontador DASPLETOSSAURO ("LAGARTO MEDONHO") tinham, além de eficazes presas, fortes garras nos pés. E as utilizavam quando caçavam, mas não para atacar as vítimas, e sim para agarrar-se melhor ao solo e dar mordidas mais fortes, capazes de matar a presa em um só golpe.

207 A garra é do...

Em 1998, foi encontrada na Patagônia uma enorme garra curva de 30 centímetros e pensou-se que pertencia ao pé de um DROMEOSSAURO. Mas em 2004, JORGE CALVO desenterrou um braço completo de MEGARAPTOR e descobriu que a garra pertencia à sua mão e não ao pé de um Dromeossauro.

208 As garras do Terizinossauro

Pescoço comprido, barriga grande e cabeça pequena, 10 metros de comprimento e 3 toneladas de peso: o TERIZINOSSAURO parece um saurópode, mas era um terópode. Seu nome significa "LAGARTO GADANHA", por causa das garras compridas das mãos, que usava para cortar os melhores galhos das árvores... Porque, ao contrário do restante da família, o Terizinossauro era **um terópode herbívoro!**

209 Os ovos errados

Oviraptor

Em 1924, o legendário paleontólogo ROY CHAPMAN ANDREWS descobriu um fóssil na Mongólia: estava sentado sobre um ninho de PROTOCERATOPES. Por isso o chamou de OVIRAPTOR ("LADRÃO DE OVOS"). Mas Chapman estava errado: os ovos também eram do Oviraptor. **O fóssil que encontrou não estava roubando, e sim chocando como uma galinha!**

210 Protuberâncias e surdez

Outro dinossauro argentino, o AUCASSAURO, tinha o corpo coberto de protuberâncias que o protegiam de alguns cortes e golpes. Era surdo, por isso só podia confiar na visão e no olfato para capturar suas presas.

Os mais estranhos

Troodonte

211 Troodonte, o mais inteligente da classe

É difícil medir a inteligência dos dinossauros, mas podemos nos basear nos que tinham cérebro grande e corpo pequeno. O TROODONTE ("DENTE QUE FERE") cumpria bem essa condição, já que media 2 metros, pesava apenas 50 quilos e tinha boa memória: por isso, aprendia com os erros.

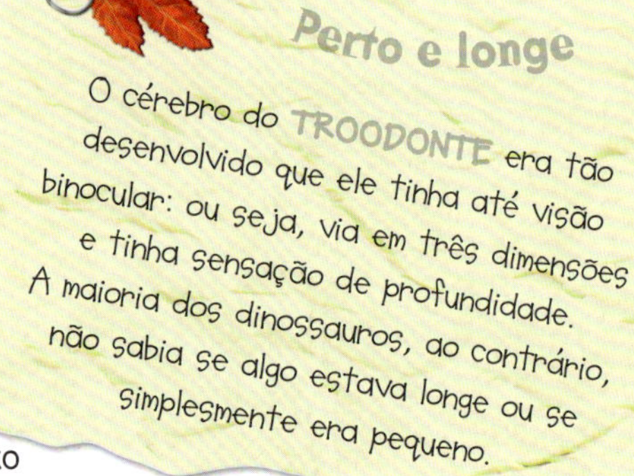

212 Perto e longe

O cérebro do TROODONTE era tão desenvolvido que ele tinha até visão binocular: ou seja, via em três dimensões e tinha sensação de profundidade. A maioria dos dinossauros, ao contrário, não sabia se algo estava longe ou se simplesmente era pequeno.

213 Como dormiam

Graças a um fóssil de TROODONTE, **sabemos que os dinossauros dormiam como os pássaros:** com a cabeça escondida embaixo do braço **(algo confirmado pelo pequeno MEI, da curiosidade 187)**. Isso os ajudava a manter a cabeça quente durante a noite.

214 Grande e desajeitado

Barionix

O BARIONIX **("GARRA PESADA") é um carnívoro de membros muito estranhos:** a forma de sua pélvis é ideal para andar sobre duas patas, mas ele tinha os braços tão compridos e fortes que devia passar muito tempo sobre quatro patas. Além disso, as garras curvas nas mãos eram grandes e, por isso, devia ser um grande caçador.

Barionix

215 Um crocodilo?

Mais curiosidades: o longo pescoço do BARIONIX **não se dobrava.** O crânio estava ligado num ângulo diferente e em sua boca de CROCODILO cabiam 96 dentes, o dobro que no resto dos terópodes.

Eoraptor

216 Hora dos raptores!

O primeiro dinossauro conhecido foi o EORAPTOR. No Cretáceo, também houve raptores. Muitos deles por toda parte: os dromeossauros se multiplicaram e estenderam suas garras pelo mundo inteiro.

Velociraptor à solta

217 O menor dino

Comecemos por um raptor pequenino: o MICRORAPTOR CHINÊS**.** Com 60 centímetros de comprimento, era o menor membro da família e um dos menores dinossauros. Vivia nas árvores e é possível que pudesse planar com seu corpo coberto de penas: assim era capaz de atacar suas presas do alto. **Pequeno, porém valentão!**

Velociraptor

218 Velociraptor: o rei das unhas

O VELOCIRAPTOR **é o dromeossauro mais famoso.** Pesava cerca de 20 quilos e era tão grande quanto uma pessoa, ainda que metade do seu corpo fosse cauda. Como uma galinha ou galo com esporão, rabo de FAISÃO, e pernas e braços com grandes garras com as quais cortavam as presas.

219 Em plena luta

Os primeiros fósseis de VELOCIRAPTOR que foram encontrados eram apenas restos: o crânio e uma garra. Mas o fóssil mais espetacular foi desenterrado em 1971 numa expedição de pesquisadores da Polônia e da Mongólia. Eles não acreditavam no que estavam vendo: tratava-se de um Velociraptor em plena luta contra um PROTOCERATOPE. Ambos morreram enquanto lutavam.

Deinonico

220 Máquina de caçar

Embora se parecesse muito com o VELOCIRAPTOR, o DEINONICO ("GARRA TERRÍVEL") tinha o dobro do tamanho. Sua descoberta indicou que ele tinha uma intensa atividade caçadora e iniciou a hipótese de que os dinossauros pudessem ter sangue quente.

Dimorfodontes

O fim dos dinos

221 O lagarto emplumado

Desde o nome (que significa "LAGARTO PÁSSARO LADRÃO") já se percebe que o SAURORNITOLESTES **foi um réptil bastante diferente:** pode ser que tivesse plumas por todo o corpo e patas mais longas que as do VELOCIRAPTOR. A maioria de seus fósseis foi recuperada em Alberta (Canadá) onde foi o pequeno predador mais comum há 120 milhões de anos.

222 O Bambiraptor

O dinossauro encontrado no Kansas e em Nova Orleans em 1995 era tão delicado que não é estranho que tenham dado a ele o nome do personagem do desenho animado da Disney. Mas, apesar da delicadeza, o fóssil estava tão bem conservado que nos permitiu saber, por exemplo, que o BAMBIRAPTOR podia usar muito bem as mãos, inclusive levando comida à boca, como fazem os mamíferos.

223 Aquiles e suas garras

"BATOR" é uma palavra mongol que significa HERÓI. E o herói mais famoso da Grécia Antiga foi AQUILES: juntando as duas palavras temos AQUILOBATOR, um dromeossauro com um grande tendão de Aquiles, que lhe permitia usar as enormes garras das patas posteriores.

224 A EXTINÇÃO dos dinossauros

Já não existem RÉPTEIS **de 20 metros em nossos vales.** Os dinossauros foram extintos em algum momento há 65 milhões de anos: não morreram todos de uma vez, mas alguma coisa (os cientistas não estão certos do que possa ter sido) fez com que, pouco a pouco, eles fossem desaparecendo.

Meteoritos e vulcões

225 A extinção por meteoritos

Em 1980, WALTER ÁLVAREZ disse que há 65 milhões de anos caiu um grande meteorito em algum lugar do planeta que levantou uma imensa nuvem de pó, o que provocou um longo efeito estufa que mudou o clima. Os dinossauros não se adaptaram e morreram, enquanto os mamíferos e as aves seguiram adiante. Essa foi a principal teoria durante muitos anos.

226 Restos de meteoritos

Não sabemos com certeza se um meteorito mudou o clima e acabou com os dinossauros. Atualmente há três crateras de meteoritos que poderiam ter extinguido os dinos: uma no Golfo do México, outra encontrada há pouco no Canadá e uma terceira, de grande dimensões, na Índia. **O que você acha?**

227 A extinção por vulcões

A segunda grande teoria diz que a mudança climática chegou pouco a pouco: começaram as erupções vulcânicas pelo mundo inteiro e, no final do Cretáceo, acumulou-se uma capa de cinzas e gazes no céu, que não deixava passar os raios de sol.

228 Os dinos foram extintos?

Na verdade, os dinossauros morreram há milhões de anos, mas não por completo. Restaram alguns descendentes, animais que se adaptaram às terríveis mudanças. Passaram a ser menores e, por isso, precisavam de menos comida. Na realidade, restam MILHÕES de dinossauros no mundo: **você pode até ter um em casa, porque os descendentes dos dinossauros são... os pássaros!**

O alado Arqueópterix

229 Quadris errados

No capítulo 1, dissemos que os quadris dos SAURISQUIANOS eram parecidos com os dos LAGARTOS, e que os dos ORNITISQUIANOS se pareciam com os das AVES. Mas a semelhança era mera casualidade porque, **surpresa!,** os pássaros evoluíram dos saurisquianos.

Arqueópterix

230 Passarossauros

As primeiras aves evoluíram de dinossauros com penas: tudo começou há 85 milhões de anos, antes da Grande Extinção, quando apareceram dinossauros com pelos (como o SINOSAUROPTÉRIX) e outros com penas (como os RAPTORES), que ajudavam a reter o calor corporal. No final do Jurássico, apareceu uma espécie de pássaro-réptil: o ARQUEÓPTERIX ("ASA ANTIGA?), o fóssil de ave mais antigo que se conhece.

Arqueópterix

Giganotossauro

231 Como era o Arqueópterix?

Só foram encontrados dez exemplares de ARQUEÓPTERIX até agora. Do primeiro só apareceu uma pena em 1861: é muito difícil tirar conclusões sobre esse fascinante animal. **Podia voar ou só planava?** Sabemos que esse avô dos pássaros tinha 35 centímetros (como um corvo), garras e dentes (como os répteis), uma longa cauda óssea e penas, asas e esporão (como um galo).

233 Não aviários

Já que, sendo precisos, os PÁSSAROS também são DINOSSAUROS, quando os cientistas se referem aos dinossauros-répteis os chamam de "DINOSSAUROS NÃO AVIÁRIOS". De fato, os pássaros são dinossauros TERÓPODES (ainda que hoje em dia nem todos sejam carnívoros) do mesmo grupo a que pertenceram os VELOCIRAPTORES.

Pássaros ou répteis?

234 Aves e dromeossaurídeos

Tanto os PÁSSAROS como os DROMEOSSAURÍDEOS tinham **braços e mãos alongados,** os ossos da munheca em forma de meia-lua, as clavículas unidas numa fúrcula, a maior parte da cauda rígida e, principalmente, o púbis virado para trás. Ah! E quase todos tinham garras curvas e penas.

235 Um dinossauro voador

É possível que um dinossauro voasse melhor que um pássaro? Pois sim. O misterioso CRYPTOVOLANS se movia por todos os ares melhor que o ARQUEÓPTERIX: tinha penas feitas para voar tanto nos braços como nas pernas. Pode ser que dinossauros como o DEINONICO descendessem desse ás do céu.

236 Essas garras, esses dentes... E era um pássaro?

O cúmulo da surpresa é que um grupo de pesquisadores acredita que todos os DROMEOSSAURÍDEOS (Velociraptores, Deinonicos, Cryptovolans etc.) eram mais evoluídos que o ARQUEÓPTERIX. Isso significaria que eram dinossauros aviários... Ou seja, **que já eram pássaros!** Ainda que a maioria fosse incapaz de voar, como os AVESTRUZES.

Oviraptor

Caudiptérix
"Cauda emplumada"

237 Os Alvarezsáuridos

Os ALVAREZSÁURIDOS **são uma enigmática família de dinos de menos de 2 metros,** com longas patas e aparentados com as AVES e os ORNITOMIMOS. Eles apareceram na Argentina e também foram encontrados na Mongóliae na Romênia. Graças ao microscópio eletrônico, sabemos que alguns tinham penas.

238 O Mononico

O MONONICO ("UMA SÓ GARRA"), **um alvarezsáurido, representa uma das conexões entre os dinossauros e as aves.** Seus curtos membros dianteiros pareciam mais asas curtas do que braços porque, como diz o nome, **só tinha um dedo e uma unha em cada mão!**

Adeus, Cretáceo!

239 Para que eu quero uma garra só?

O SHUVUUIA DA MONGÓLIA ("SHUVUU" significa PÁSSARO em mongol) só tinha uma garra no final dos braços... E nem um dedo sequer! Será que ele a usava para lutar contra o VELOCIRAPTOR? Ou usaria no acasalamento? Para caçar presas pequenas? Ou para abrir ninhos de cupins? É tudo um mistério.

240 O Rahonavis

A divisão entre pássaros e dinos se desvanece ainda mais com o RAHONAVIS ("AVE AMEAÇADORA"), um carnívoro emplumado de 80-70 milhões de anos: era um dromeossaurídeo do tamanho do ARQUEÓPTERIX, com garras como as do VELOCIRAPTOR.

241 Quem dominou o planeta depois?

O seguinte predador que dominou a Terra apareceu 10 milhões de anos depois da extinção dos dinossauros, e a essa altura não é surpreendente que fosse um pássaro de 2 metros, incapaz de voar, chamado de GASTORNIS ("PÁSSARO DE GASTON", por causa de GASTON PLANTÉ, seu descobridor), na Europa, e de DIATRIMA ("CANOA", por causa da forma de seu bico grosso), na América. Sua família de pássaros gigantes é chamada de "AVES DO TERROR".

Diatrima

242 A extinção

Quando os dinossauros não aviários se extinguiram, os mamíferos conquistaram rapidamente todos os continentes. Destacam-se os marsupiais, como os cangurus, os creodontos, como o MEGISTOHERIUM (o maior mamífero predador terrestre da História), roedores, cetáceos, elefantes primitivos, bois, camelos, cavalos, rinocerontes e antas.

Tiranossauro rex

Dimorfodontes

Diatrima

Ouro parece, prata não é

243 Os vizinhos dos dinos

Durante 150 milhões de anos os dinossauros caminharam pela Terra. Os seres humanos só estão aqui há 3 ou 4 milhões de anos e têm convivido com um sem-fim de espécies distintas: outros mamíferos, peixes, répteis, insetos... os dinos também não viveram sós.

244 Por terra, mar e ar

É fácil confundir os dinossauros com muitos dos outros animais que conviveram com eles porque se pareciam um pouco. Lembre-se: ainda que alguns soubessem nadar ou voar, os dinossauros passavam a maior parte do tempo no chão. Outros répteis conquistaram os céus e os oceanos.

245 Pterossauros (lagartos com asas)

Comecemos pelos voadores: a palavra PTEROSSAURO ("RÉPTIL COM ASAS") define vários répteis, de tamanhos e formas diversas, do Mesozoico. Apareceram junto com os dinossauros e se extinguiram com eles. Os pterossauros foram os primeiros vertebrados a aprender a voar: antes, só os insetos voavam.

246 Um dedo gigantesco

Os PTEROSSAUROS tinham um quarto dedo nas mãos, que era muito importante para mantê-los no ar. Alguns eram bem grandes e tinham o corpo recoberto por uma pele lisa. **Como podiam voar sem penas?**

247 Para ser piloto é preciso estudar

O cérebro dos PTEROSSAUROS era mais desenvolvido que o dos outros dinossauros. Eles eram muito espertos, caçavam e se defendiam no ar com um impressionante controle de todos os seus movimentos.

Os senhores do ar

248 Mis-ptérios para resolver

São conhecidas mais de 60 espécies de PTEROSSAUROS, mas os arqueólogos continuam com muitas dúvidas. Será que eles podiam esticar as asas? As membranas se uniam sempre às patas traseiras? Eles tinham pés palmados para voar melhor ou porque nadavam como os patos? Não perca as esperanças: um dia poderemos responder a essas perguntas.

249 Por fim posso voar

O PETEINOSSAURO foi um dos primeiros PTEROSSAUROS que começou a voar: viveu nos Alpes há 220 milhões de anos. Tinha os dentes em forma de cone e comia insetos em pleno voo. Pesava só 100 gramas (como um gatinho recém-nascido) e media 60 cm com as asas estendidas; a cauda servia de timão.

250 Piloto ou marinheiro?

O italiano COSMO ALESSANDRO COLLINI encontrou em 1784 o primeiro fóssil de PTERODÁCTILO: pensou que se tratava de um animal marinho, mas 25 anos depois o francês GEORGES CUVIER descobriu que era um réptil voador e lhe deu esse nome. Pterodáctilos têm sido desenterrados na Europa e na África, e hoje o PTEROSSAURO é o que melhor conhecemos.

Fóssil de um Pterossauro

251 Ligeiro, ligeiro

O PTERODÁCTILO **era do tamanho de um gato grande, com asas de 50 centímetros a 1 metro.** Pesava apenas 2 quilos graças aos seus ossos ocos: para voar é preciso ser leve. Tinha a cabeça pequena e um bico com dentes. Pescava nos lagos, junto aos quais nidificava.

252 Voo rasante

O RHAMPHORHYNCHUS **("BICO NO FOCINHO") era do tamanho de um** PTERODÁCTILO, com uma cauda bastante longa. Provavelmente pescava enquanto voava e acumulava os peixes numa bolsa no bico, como a do pelicano.

Pterossauros aos montes

Dimorfodonte

Os dentes, de dois em dois

O DIMORFODONTE **("DENTES DE DUAS FORMAS") é um Pterossauro inglês de 200 milhões de anos,** que tinha asas de 1,20 metro, bico grosso como o dos TUCANOS, e dentes de dois tipos distintos. Isso é uma coisa muito rara nos répteis, que costumam ter todos os dentes iguais.

Tucano atual

Belos dentes

Um dos Pterossauros mais estranhos foi o CTENOCHASMA **("MANDÍBULA PENTE").** O nome se deve ao fato desse réptil voador jurássico ter mais de 250 finos dentes com os quais filtrava a comida de forma parecida com as barbas das baleias.

Bocas a escolher...

Há outros Pterossauros que reconhecemos pela dentadura, como o EUDIMORFODONTE, que se distingue pela boca: a dos machos e a das fêmeas é diferente.

Eudimorfodontes

256 PTERANODONTES

Um dos répteis voadores clássicos é o PTERANODONTE ("COM ASAS, SEM DENTES"): esse PTEROSSAURO viveu há 85 milhões de anos, alimentando-se dos peixes que capturava com o bico longo e com bolsa, como o RHAMPHORHYNCHUS. Não tinha nenhum dente, como os pássaros modernos, o que fazia dele um Pterossauro muito especial entre os demais. Suas asas eram enormes: o Pteranodonte media até 9 metros de ponta a ponta.

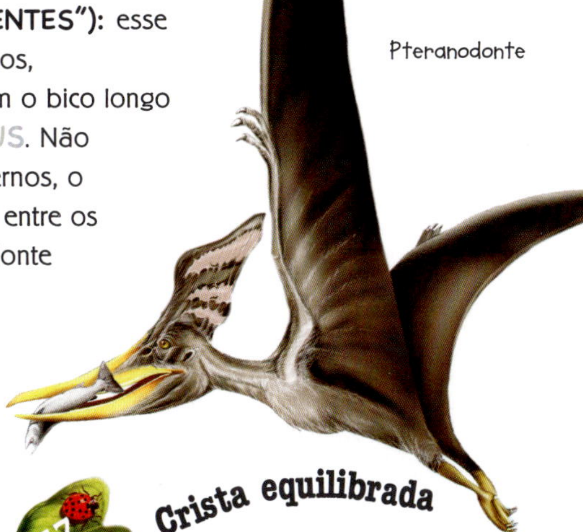

Pteranodonte

PTERANODONTE
Tamanho comparativo com o homem
9 m

257 Crista equilibrada

A cauda do PTERANODONTE era muito curta. Por isso, não podia usá-la para mudar de direção durante o voo. Mas tinha uma longa crista sobre a cabeça que equilibrava o peso de seu grande bico e que talvez usasse como timão inclinando o pescoço.

258 O voo do albatroz

O PTERANODONTE tinha as patas fracas e, por ser grande, não podia andar muito. Precisava confiar nas asas para percorrer grandes distâncias, e as agitava pouco. Aproveitando o tamanho dessas asas, planava durante horas, deixando-se levar pelo vento.

De cabeça na água

259 O imenso Quetzalcoatlus

O maior animal voador de todos os tempos foi o QUETZALCOATLUS **cretáceo** (em homenagem ao deus asteca Quetzalcoatl). Esse PTEROSSAURO tinha asas membranosas de 12 metros ou mais: **maior que alguns aviões!**

Quetzalcoatlus

260 Isso é impossível

Os cientistas investigam com curiosidade os restos do QUETZALCOATLUS**:** em teoria, se um animal tem asas muito grandes não poderia voar por causa do peso.
A maior marca tinha sido alcançada pelo Quetzalcoatlus, com 12 metros. Mas recentemente foram encontrados fósseis maiores, que chegariam a ter 18 metros da ponta de uma asa à outra.
Sim, esses Quetzalcoatlus imensos voavam e os cientistas terão de continuar estudando.

Quetzalcoatlus

261 A quatro patas

Além disso, o QUETZALCOATLUS **podia decolar com a própria força,** sem necessidade de se lançar de um lugar alto como outros PTEROSSAUROS. E ainda podia caminhar com a ajuda das mãos-cotovelos formadas por suas asas ao se dobrarem.

Ictiossauro

262 Entre tubarões e répteis

Os ICTIOSSAUROS **("LAGARTO PEIXE") eram grandes répteis marinhos parecidos com os golfinhos.** Tinham cerca de 3 metros, pesavam entre 150 e 950 quilos e podiam nadar a 40 km/h. Comiam lulas, peixes e mariscos e, no Jurássico, foram os predadores aquáticos dominantes até surgirem os PLESIOSSAUROS.

Fóssil de uma fêmea de Ictiossauro que ficou fossilizada em pleno parto.

263 Uma Ictiossaura... PRENHE?

Os ICTIOSSAUROS **não punham ovos como a maioria dos répteis, mas davam à luz seus filhotes, como os mamíferos.** Todos os animais marinhos que respiram ar têm duas opções: ou vão para a terra firme para pôr seus ovos (como as tartarugas), ou dão à luz perto da superfície, para que os filhotes possam respirar. Os Ictiossauros tinham forma de peixe e, por isso, não se sentiriam confortáveis na praia.

Mares perigosos (I)

Notossauro

264 Mergulhando no Tibete

Há um tipo de ICTIOSSAURO **enorme** (de 10 a 15 metros de comprimento) chamado TIBETOSSAURO porque seu esqueleto foi encontrado no Tibete. **Como ele chegou lá em cima?** Não, ele não teve que escalar: durante o Jurássico, a maior parte do Himalaia estava submersa.

265 O pescador de camarões

Durante todo o Triássico, viveu um animal de 3 metros parecido com o crocodilo, com dentes pontudos, pés palmados e barbatanas na cauda. Chamava-se NOTOSSAURO e se movia entre a terra e o mar, caçando peixes, camarões e outros animais aquáticos, com a ajuda de suas mandíbulas alongadas.

Ictiossauro

266 Evolução convergente

Os biólogos adoram encontrar animais que não são da mesma família, mas que resolvem problemas parecidos com as mesmas mutações. A nadadeira dorsal a nadadeira caudal e a forma geral do ICTIOSSAURO são como as dos peixes, uma história de evolução convergente.

Plesiossauros: mãos em remo!

Plesiossauro

Os PLESIOSSAUROS ("PARECIDO COM UM LAGARTO") foram grandes répteis aquáticos carnívoros que evoluíram dos NOTOSSAUROS. Tinham o pescoço comprido, mandíbulas capazes de devorar conchas de moluscos e mãos em forma de remo, únicas no mundo submarino, que permitiam que eles nadassem tranquilamente. Foram os maiores animais aquáticos do Triássico.

Plesiossauro

O monstro do Lago Ness

Ainda que tudo indique que os PLESIOSSAUROS tenham sido extintos com os dinossauros há 65 milhões de anos, de vez em quando surgem piadas, boatos e rumores de que esses animais continuam vivos, mesmo que não haja nenhuma prova científica do fato. O "aspirante" a Plesiossauro mais famoso é o monstro do Lago Ness.

Voar embaixo d'água

Alguns PLESIOSSAUROS tinham o pescoço mais curto: nadavam mais rápido, mas se moviam na água com menos agilidade do que os de pescoço comprido.

Mares perigosos (II)

270 Pliossauros e Criptocíclidos

Os PLESIOSSAUROS de pescoço curto foram chamados de PLIOSSAUROS. Tinham a boca grande (de até 3 metros); eram animais robustos com mais de 12 metros e 10 toneladas de peso, como o KRONOSSAURO, PLESIOPLEURODON e o BRACAUQUÊNIOS. Por sua vez, os RIPTOCÍCLIDOS tinham o pescoço comprido e a cabeça pequena.

271 Plesiossauro extremo

Outro grupo de PLESIOSAUROS, os ELASMOSÁURIDOS, **atingiu o limite de tamanho de pescoço.** Tinham mais de 72 vértebras, o recorde do reino animal, e mais da metade dos seus 17 metros de comprimento pertenciam ao pescoço.

Mosassauro

Elasmossauro

272 O assustador Mosassauro

O MOSASSAURO **caçava o** PLESIOSSAURO, como num pesadelo em que um tubarão luta com um enorme crocodilo. Sua face tinha movimentos limitados e ele não podia engolir as presas de uma só vez, por isso primeiro as despedaçava com os dentes afiados.

Elasmossauro

273 O superpescoço

O réptil pescoço-comprido mais desproporcional foi o TANYSTROPHEUS ("CORDA COMPRIDA"): ainda que só medisse 6 metros, seu pescoço era mais comprido que todo o corpo e a cauda juntos. Apesar do tamanho, tinha apenas 10 vértebras. Por isso seu pescoço não era muito flexível.

274 A primeira tartaruga

A primeira tartaruga conhecida foi o PROGANOQUELIS: Ela apareceu no final do Triássico, há 210 milhões de anos, na Alemanha e na Tailândia; tinha 60 centímetros de comprimento e um casco feito de costelas e de outros ossos. Do pescoço e da cauda saíam espinhos protetores que não podia esconder, como certamente também não podia esconder as patas dentro do casco.

Preparados para emergir

275 Embaixo d'água

O PLATEOQUELIS ("TARTARUGA COM PLACAS") **pertencia a outro tipo de animais:** os PLACODONTES. Vivia no fundo do mar e tinha bico, uma longa cauda franjada, patas palmadas e dentes planos para quebrar conchas e crustáceos.

276 Os pesados Placodontes

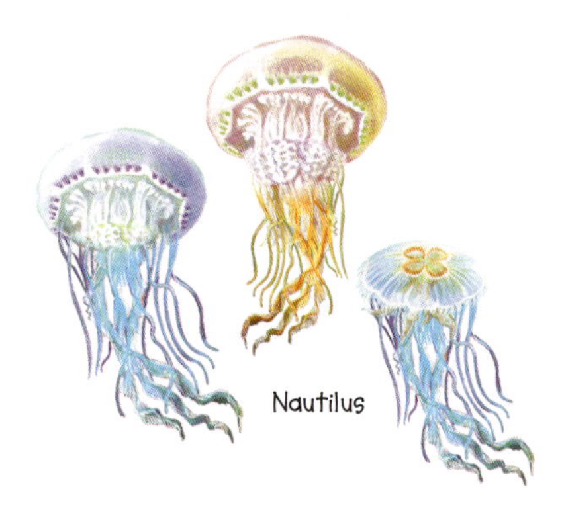

Embora vários dos PLACODONTES **tivessem o sufixo "chelys" ou "quelis" em seus nomes, eles não eram tartarugas nem se pareciam com elas. Eram, isso sim, a mistura de uma morsa e um réptil: grandes, pesados...** Alguns tinham placas protetoras nas costas, cujo tamanho tanto os impedia de subir à superfície quanto de se mover em águas muito profundas. Por isso é bem provável que habitassem águas paradas.

277 O quebra-nozes do Placodus

Outro placodonte é o PLACODUS, **um habitante dos mares do Triássico que ocupava o espaço dos Alpes.** O Placodus tinha um autêntico quebra-nozes na boca e, por isso, podia comer todos os animais com casco ou concha que se arrastavam pelo fundo do mar.

278 Um sapo com chifres...

Entre o período Carbonífero (há 360 milhões de anos) e o Triássico apareceram os anfíbios TEMNOSPONDILOS ("DE VÉRTEBRAS CORTANTES"). Um dos últimos, há 235 milhões de anos, foi o MASTODONSSAURO: uma mistura de sapo e crocodilo de 2 metros, que caçava peixes e pequenos répteis nos pântanos e lagos da Europa e do norte da África. Ao fechar a boca, suas presas atravessavam o palato e ficavam do lado de fora da cabeça.

279 Crocodilos Arcossauros

Você se lembra dos ARCOSSAUROS? (curiosidade 39). Um dos últimos a aparecer foi RAUISÚQUIDO, que pertencia a uma família de arcossauros de até 7 metros, da qual descendem nada mais nada menos que os famosos crocodilos-do-nilo.

Quase crocodilos

280 O nariz do Aetossauro

A verdade é que quase todos os ARCOSSAUROS **tinham um jeitão de crocodilo, mas não podemos nos deixar levar pelas aparências:** os AETOSAUROIDES ("RÉPTIL ÁGUIA"), répteis encouraçados com placas de osso, eram arcossauros herbívoros. Tinham um nariz realmente diferente: com a ponta achatada como um porquinho.

281 Onde estão os Aetosauroides?

Foram encontrados restos de AETOSAUROIDES **na Alemanha, Escócia, Groenlândia, Argentina, Madagascar e Estados Unidos. Estão por toda parte.** De fato, seus fósseis são tão frequentes que costumam ser usados como "FÓSSEIS-ÍNDICE". **Você não sabe o que é isso?** No próximo capítulo vai descobrir.

282 Adaptar-se ao meio

Houve AETOSAUROIDES **pequenos, como o fundador do grupo, o Aetossauro, e outros grandes, como o** TYPHOTÓRAX**.** Um dos maiores, o DESMATOSUCHUS norte-americano tinha um corpo fino de até 5 metros e melhorou suas defesas com grandes espinhos (de 45 centímetros) nas costas, sobre os ombros.

283 O erro com os Teratossauros

Desde 1870 a história do TERATOSSAURO tem sido contada de erro em erro: primeiro acreditaram que era um réptil chamado BELODON, depois atribuíram seu crânio ao EFRAASIA, o que os fez crer que aquele tivesse sido o primeiro grande carnívoro. Finalmente, em 1985 e 1986, dois pesquisadores demonstraram que era um RAUISÚQUIDO e lhe deram o nome definitivo: TERATOSSAURO, o "LAGARTO PRODIGIOSO".

Teratossauro

284 O maior crocodilo

Agora, se você está procurando um crocodilo gigante, seu animal é o DEINONICO ("CROCODILO TERRÍVEL"): lembre-se de que o TRICERATOPE tinha 9 metros **e que este ARCOSSAURO era maior que ele!** O terrível Deinonico media até 15 metros e poderia ser o protagonista de qualquer filme de monstros.

Quetzalcoatlus

Deinonico

Arcossauros desconhecidos

285 Que nariz!

Como já dissemos, as aparências enganam. Em 1828, encontraram um novo grupo de ARCOSSAUROS que tinham as fossas nasais na frente. Deram a eles o nome de FITOSSAUROS, ("LAGARTOS DAS PLANTAS"). Mas, apesar do nome, eles eram carnívoros.

Georgia O'Keefe

286 Mãos humanas

O QUIROTERIUM só é conhecido por suas pegadas: conviveu com os dinossauros entre 225 e 195 milhões de anos atrás. Andava sobre quatro patas pela Inglaterra e Alemanha, e tinha cinco dedos em cada mão. **Com um polegar como o nosso, que devia servir para ele se agarrar melhor à lama em que vivia.**

287 O dragão de Harry Potter

O que você acha do nome de um personagem das histórias de Harry Potter? Dizem que parecia um dragão, porque o EFFIGIA OKEEFFEAE foi um ARCOSSAURO de 2 metros, parecido com os GALIMIMOS. Ele foi encontrado no Rancho Fantasma do Novo México e seu sobrenome vem da pintora GEORGIA O'KEEFE, que viveu ali muitos anos.

Mistérios sem solução

Em 1947, o colecionador de FÓSSEIS EDWIN COLBERT extraiu vários blocos de pedra do Rancho Fantasma. Não lhe parece um ótimo lugar para passar uma temporada? Acreditando que não encontraria nenhum fóssil importante, deixou sem abrir a maioria deles e os devolveu ao Museu Americano de História Natural. **Você sabe o que havia dentro?**

Galimimos

Espera eterna

Depois de 200 milhões de anos enterrado, o EFFIGGIA ainda teve que esperar 60 anos mais, até que, em 2006, o estudante STERLING NESBITT abriu os blocos de Colbert em busca de fósseis de CELÓFISES e deu de cara com o OKEEFFEAE.

Senhor Dimetrodonte

290 O Dimetrodonte

Com este animal, cometeremos uma pequena fraude, porque ele viveu no período Permiano, entre 280 e 205 milhões de anos atrás, e desapareceu um pouco antes da Grande Extinção Permiano-Triássica. Mas não poderíamos encerrar o capítulo sem falar do DIMETRODONTE, ainda que nunca tenha convivido com os dinossauros **e que nem sequer tenha sido um réptil!**

291 Réptil ou pássaro?

E por que vale a pena fazer uma exceção a esse animal?
Para começar, porque é um dos animais que mais se costuma confundir com os dinossauros. Mesmo que nem tenha sido um réptil autêntico: era um SINAPSIDO, ou seja, um PSEUDO-RÉPTIL mais parecido com um mamífero do que com um lagarto ou pássaro. DIMETRODONTE significa “DOIS TIPOS DE DENTES”. Diferente dos répteis, o Dimetrodonte tinha dentes caninos e incisivos.

292 O veleiro do Permiano

A característica mais chamativa do DIMETRODONTE era a espetacular vela que ele levava nas costas, sustentada por espinhas. É bem provável que esse animal de 3 metros tivesse sangue frio e utilizasse a vela para regular sua temperatura: uma superfície grande permite colher o calor do sol com maior eficácia e assim poderia ficar caçando até mais tarde que outros animais sem passar frio.

293 Loucos pelo Dimetro

Talvez seja sua vela ou algo que nos lembre de que somos parentes: os humanos se encantam com os DIMETRODONTES. *Viagem ao Centro da Terra, Power Rangers, Dinossauros, Em Busca do Vale Encantado,* o videogame *Turok...* **Ele aparece em todos esses filmes, desenhos e jogos como se fosse um dinossauro: nós também abrimos uma exceção!** Vá ao capítulo 7 para ter mais dados sobre os melhores dinossauros da ficção.

O homem e os dinos

294 Dinosselos

Uma coleção de selos do Camboja de 1986 apresentava sete criaturas pré-históricas. É uma coleção muito origin[al] porque não são os animais mais habituais: nem mamutes, nem triceratopes, nem tiranossauros. Os selos mostrava[m] o EDAFOSSAURO (um Dimetrodonte de 280 milhões de anos), o SAUROCTONUS, MASTODONSSAURO, o RHAMPHORHYNCHUS, BRAQUIOSSAURO, o INDRICOTHERIUM (o maior mamífero terrestre da história) e o TARBOSSAURO (um Tiranossauro mongol).

295 Dinomoedas

O SAUROCTONUS **também apareceu numa moeda de prata** de 50 kips, emitida na Coreia, em 1993. Ainda que 50 kips não equivalham nem sequer a 1 centavo, a moeda é avaliada em 28 euros.

296 Mais moedas

Foram feitas moedas parecidas em 1994 e 1995, mostrando um ELASMOSSAURO em plena luta contra um TILOSSAURO, e um poderoso MEGALOSSAURO. Na Mongólia também apareceram um VELOCIRAPTOR e um PROTOCERATOPE em duas moedas de 500 tugriks (cerca de 30 centavos, ainda que os colecionadores pagu[em] mais de 40 euros por elas).

E já existiam os mamíferos?

Sim. Um dos primeiros mamíferos foi o MEGAZOSTRODON. Ele viveu durante o Jurássico em Lesoto, África do Sul: era parecido com um musaranho de 12 centímetros e se alimentava de insetos. Começamos pequeninos e discretos...

Os homens contra os dinossauros?

As imagens de homens das cavernas lutando contra TIRANOSSAUROS **ou algum outro de seus companheiros carnívoros nunca foram corretas.** Os dinossauros (exceto as aves) se extinguiram há 65 milhões de anos e os primeiros antepassados do homem desceram das árvores pela primeira vez há 4 milhões de anos. Quando inventamos o fogo, os dinos já eram fósseis há muito tempo.

Os fósseis

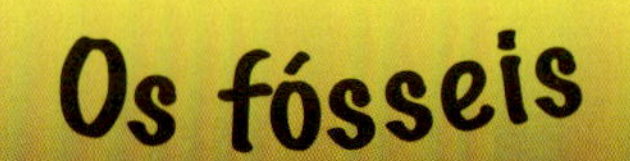

299 A origem dos fósseis

A palavra FÓSSIL vem do *latim fossil* e significa "escavar". Assi fóssil é qualquer coisa encontrada embaixo da terra. Às vezes, preciso escavar muito para completar o esqueleto de um dinossau

300 Como nasce um fóssil?

Depois que um animal morre, sua carne desaparece até restarem apenas os ossos. A terra vai cobrindo o esqueleto e, à medida que os anos passam, os ossos vão se transformando em pedras.

Fóssil de fragmentos de pele e penas.

Quando um animal morre ou é devorado por outros, ficam só os ossos.

Durante muitos anos pode acontecer de o esqueleto ficar coberto por terra ou água.

301 Mas o que é um fóssil?

Também são considerados restos que não se transformaram em pedra e qualquer rastro deixado por um animal na terra (ossos, pegadas etc.), sempre tiveram mais de 1.640.000 anos.

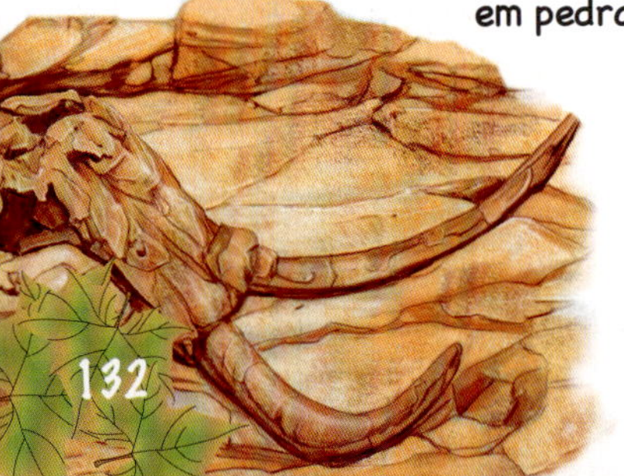

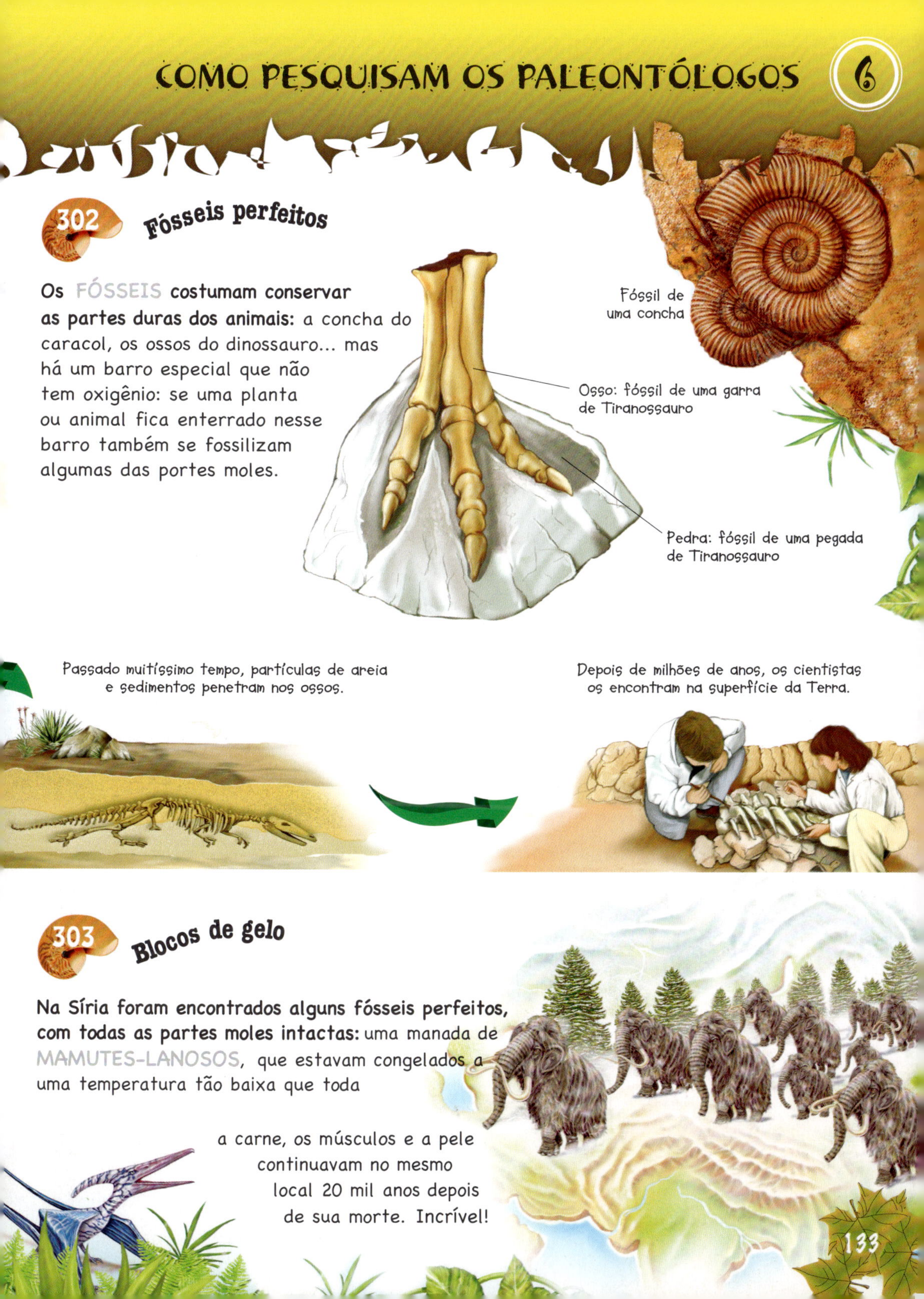

302 Fósseis perfeitos

Os FÓSSEIS costumam conservar as partes duras dos animais: a concha do caracol, os ossos do dinossauro... mas há um barro especial que não tem oxigênio: se uma planta ou animal fica enterrado nesse barro também se fossilizam algumas das portes moles.

303 Blocos de gelo

Na Síria foram encontrados alguns fósseis perfeitos, com todas as partes moles intactas: uma manada de MAMUTES-LANOSOS, que estavam congelados a uma temperatura tão baixa que toda a carne, os músculos e a pele continuavam no mesmo local 20 mil anos depois de sua morte. Incrível!

Os poços de alcatrão

304 Encontrar restos moles?

Difícil mas não impossível. Em 2002, a doutora MARY SCHWEITZER trabalhava em Montana (EUA) e quebrou, por acidente, um fêmur de dinossauro enquanto o retirava de uma rocha. Incrível! Dentro dele se conservavam células e veias de 68 milhões de anos que não tinham sido fossilizadas.

305 Estão registrados

O grupo de todos os fósseis do planeta, encontrados ou não, é chamado de **"REGISTRO FÓSSIL"**. Hoje podemos estudar o passado da Terra com outros métodos, mas os fósseis continuam sendo importantes no estudo da evolução.

Fósseis de animais de corpo mole

Fóssil de trilobites

306 A idade de um fóssil

Na Terra, existe vida há 3,7 bilhões de anos. Por isso o fóssil mais antigo que se pode encontrar teria essa idade. Embora seja difícil acreditar, ainda não se sabe quantos anos são necessários para que um animal se transforme em fóssil: alguns anos... alguns séculos... quem sabe?

307 Os poços de alcatrão

Pesquisar os fósseis não é a única forma de conhecer os restos de um velho animal. Outra alternativa é investigar os poços de alcatrão que emergem do fundo da Terra até criar um charco ou um lago. Os animais que caem nesses poços podem ficar presos para sempre e, para os paleontólogos, é muito bom descobri-los.

Lago de alcatrão de La Brea Tar Pits, 1910

308 O poço mais conhecido

Todos os poços de alcatrão do mundo estão na América: Venezuela, Trinidad e Tobago, e dois nos Estados Unidos, os do povoado de McKittrick, e os mais famosos, os poços de LA BREA. Essas centenas de lagos pretos no centro de Los Angeles contêm muitos restos de até 40 mil anos, ou seja, é impossível que apareçam dinossauros neles.
São muito novos!

Dimorfodontes

O âmbar dourado

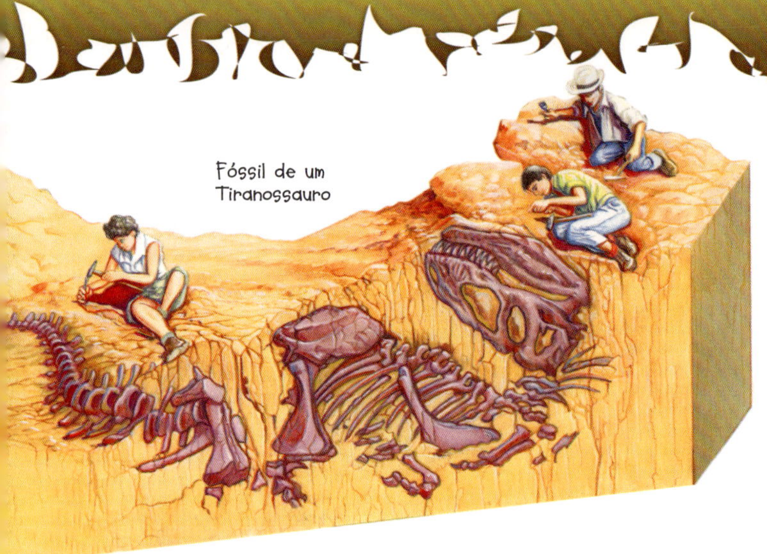

Fóssil de um Tiranossauro

Tiranossauro rex

309 É possível encontrar mais de um dino?

Sim, podemos encontrar fósseis de diferentes animais em um mesmo lugar. Na Mina do Dinossauro de Cleveland Lloyd (EUA), há 10 mil ossos de ALOSSAUROS, ESTEGOSSAUROS, CERATOSSAUROS e outros dinos. É possível que em Cleveland Lloyd houvesse areias movediças que prendiam os herbívoros e os predadores que os perseguiam.

Âmbar com insetos em seu interior

310 O âmbar

As árvores, especialmente os pinheiros, produzem uma resina em seu tronco para se proteger de doenças e de insetos. Quando esfria, a resina endurece e prende folhas e pequenas criaturas que se encontrem no tronco: formigas, aranhas, mosquitos e até mariposas, rãs e escorpiões.

O ÂMBAR conserva tudo desidratado. **Às vezes, conserva intacto até o DNA.**

Majungatholus

311 Não há âmbar em qualquer parte

Existem apenas 20 depósitos de âmbar em todo o mundo. Os mais importantes estão no México e têm 25 milhões de anos, mas as peças mais velhas têm 90 milhões de anos, são do Cretáceo, quando apareceram as primeiras árvores.

Estegossauro

Onde escavar?

Descobrir um lugar onde é possível encontrar ossos de dinossauro é muito difícil. Os paleontólogos buscam nos locais onde antes já apareceram esqueletos: não é muito original, mas assim têm certeza das regiões onde os restos ficaram bem conservados.

Geologia para o resgate

Pequenos conhecimentos de geologia podem ajudar você na hora de saber onde NÂO vai encontrar fósseis: em rochas que se formam quando a lava esfria. Elas passaram por mudanças de temperatura e pressão tão extremas que tudo o que estiver dentro acaba em pedaços.

Em resumo: não procure dinossauros nos restos de um vulcão.

Vamos à escavação (I)

314 Quanto é preciso escavar?

Imagine que você está em um campo onde alguém encontrou um dente de dinossauro. Quanto você deve escavar: 10, 15, 30 metros? Em geral, a Terra é muito organizada: à medida que os anos passam, camadas de poeira e sedimentos vão se depositando. Só um geólogo pode dizer com mais precisão a profundidade em que se encontra a camada do Triássico na região em que você que está: **para eles, escavar é como viajar no tempo.**

315 Que ferramentas utilizam?

Os paleontólogos podem usar um aparato que produz ondas sonoras, mas que nem sempre funciona bem embaixo da terra, é preciso provocar ondas muito ma intensas, disparando cargas explosivas contra o solo e estudan a forma dos objetos enterrados de acordo com o que é ressaltado pel ondas de choque. Funciona, mas pode acabar destruindo os fósseis encontrados.

316 Poupar tempo e dinheiro

Para os proprietários de minas e polos de petróleo, o trabalho dos paleontólogos é muito bom porque pode lhes trazer economia de dinheiro: alguém que conhece a idade de uma rocha vendo os fósseis que ela contém ganha tempo porque, de acordo com a antiguidade, sabem quanto é necessário perfurar para encontrar os materiais que procuram.

317 Vestidos para a ocasião

Lembre que sair para "CAÇAR FÓSSEIS" é uma atividade ao ar livre, que requer roupas adequadas: botas de campo, óculos e luvas de proteção, calças e camisas que possam ser manchadas, um capacete se você estiver nas montanhas e máscaras para não respirar muito pó. Além, é claro, de suas ferramentas de escavação.

Os especialistas envolvem os ossos com gesso para evitar que se rompam durante o trabalho.

318 As ferramentas

Há muitos tipos de ferramentas: é importante saber qual delas usar em cada caso. É preciso levar um martelo geológico, feito de aço especial, mais duro que o habitual. Mas, para golpear a rocha, não se deve fazê-lo diretamente com o martelo, para isso usa-se um cinzel. E não dá para esquecer uma escovinha para limpar as peças.

319 A extração em bloco

Você já encontrou restos de um dinossauro? Fantástico! Se o terreno permite, tente retirar um bloco de pedra inteiro para limpá-lo tranquilamente fora do assentamento. Mas, quando se trata de dinossauros muito grandes, isso é impossível. Aí é preciso fazer todo o trabalho no local onde os ossos foram encontrados.

Vamos à escavação (II)

320 A paciência

A regra que todo caçador de fósseis deve lembrar é que quanto menos utilizar o martelo é muito melhor. Quando você descobre um fóssil, sente uma vontade enorme de usar martelo e o cinzel para retirá-lo rapidamente. Mas, fazendo isso, você pode destruir o fóssil: é melhor trabalhar com cuidado e até voltar outro dia se não estiver com as ferramentas adequadas. Lembre-se sempre de deixar uma sobra de rocha ao redor do fóssil e ir limpando o seu tesouro.

322 O código do caçador de fósseis

Quem procura fósseis deve ser responsável e pedir permissão ao proprietário do terreno ou das autoridades: martelar as pedras dos parques nacionais é ilegal. E sempre, sempre é preciso preencher os buracos escavados. **Você não vai querer que alguém caia dentro deles, não é mesmo?**

321 Mais ferramentas

Às vezes é preciso trocar o martelo por uma pá, naqueles terrenos de areia, barro e cascalho: é nessas ocasiões que você vai ficar mais feliz de não ter esquecido sua fiel escova.

323 O molde perfeito

ALICK WALTER (1925-1999) foi o paleontólogo britânico que, em 1950, inventou um sistema para fazer moldes de fósseis em mau estado. Na Escócia, foram encontrados restos muito pobres, que às vezes não passavam de pequenas marcas na rocha.

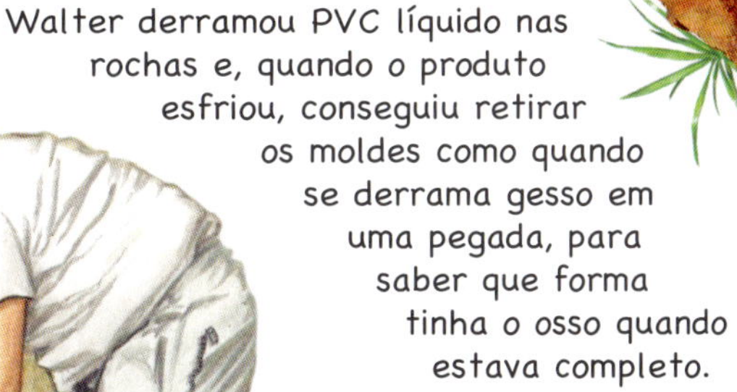

Walter derramou PVC líquido nas rochas e, quando o produto esfriou, conseguiu retirar os moldes como quando se derrama gesso em uma pegada, para saber que forma tinha o osso quando estava completo.

estava completo

Podem ser necessárias várias pessoas para levantar o pesado osso envolto em gesso.

324 Reconstrução

Chega o momento em que você tem que deixar o local da escavação e ficar com os fragmentos encontrados: vai ser preciso tentar conectar os ossos sem danificá-los, ver se os dentes encontrados correspondem à mandíbula que estava alguns metros longe.

Erros e problemas comuns

325 Quimeras

A QUIMERA era um monstro mitológic grego com cabeça de leão, corpo de cabra e cauda de serpente. Os paleontólogos dão o nome de "quimera" aos fósseis que foran reconstruídos por engano com pedaços de diversos dinossauros: a cabeça de um, o pescoço de outro...

326 Protoavis

... É possível terem existido pássaros 60 milhões de anos antes que ARQUEÓPTERIX? Os paleontólogos se faziam essa pergunta antes que SANKAR CHATTERJEE, no Texas, encontrasse um esqueleto de 35 centímetros, o PROTOAVIS. Chatterjee misturou, por engano, o crânio de um pequeno CELUROSSAURO, as patas de um CERATOSSAURO e as vértebras de um REPTILOIDE ARBOROECOLA porque seus esqueletos parciais haviam aparecido juntos. Uma verdadeira quimera!

Arqueópterix

327 O Ultrassauro invisível

Em 1979, quando encontrou um grande fóssil no Planalto Sec do Colorado, JAMES JENSEN pensou que tivesse encontrado o maior dinossauro da história e o chamou de ULTRASSAURO Passou o tempo e desenterraram mais ossos, descobrindo que o Ultrassauro de Jensen era uma quimera com ossos de SUPERSSAURO e BRAQUIOSSAURO.

328 Sem cabeça

De alguns dinossauros conseguiu-se saber várias coisas a partir de duas outras vértebras e um par de pegadas. Por exemplo, ainda não foi encontrado nenhum crânio de MELANOROSSAURO (o "LAGARTO DA MONTANHA NEGRA", da África do Sul), mas, graças à forma de seus quadris, sabemos que foi um dos primeiros saurópodes.

329 Uma boa dentadura

Pelos dentes dos dinossauros também podemos saber muitas coisas. Por exemplo, a boca do COMPSOGNATO jurássico se estreitava embaixo e tinha pequenos dentes afiados: ideais para comer insetos.

Seguindo pistas (I)

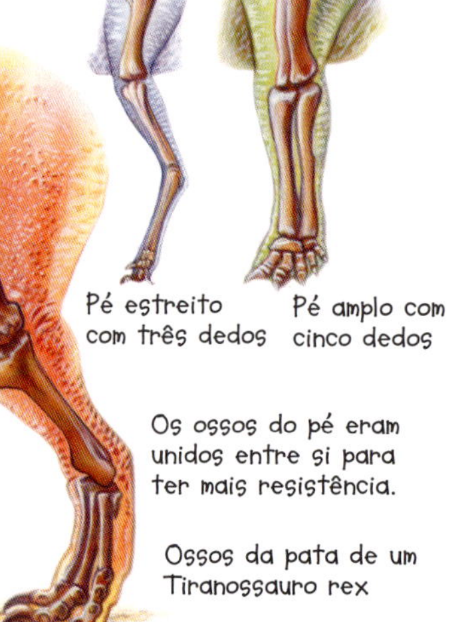

330 As pegadas

Impressas no solo, as pegadas de um animal podem se conservar por centenas de milhões de anos e nos dão indicações dos locais por onde ele andava, quanto corria e se era grande. Podem até dar pistas sobre que predadores os perseguiam e como era a pele de seus pés. As pegadas fossilizadas se chamam ICNITAS.

331 O rastro do Coelurosaurichnus

A demonstração mais evidente da utilidade das icnitas nos foi dada por um dinossauro chamado GRALLATOR (O MOSQUITO), que só conhecemos pelas pegadas que deixou. Tinha três dedos com garras, um deles muito maior que os outros: pode ter sido o ancestral dos RAPTORES. Os animais conhecidos exclusivamente pelas pegadas são classificados como ICNOESPCIE.

332 O lagarto de Revuelto

Os dentes podem enganar. Em 1989, foram descobertos vários dentes em Revuelto, Arizona: o REVULTOSSAURO foi classificado como um dinossauro ornitisquiano do Triàssico. Em 2004, encontrado um esqueleto que demonstrou que ele era um dino, e sim um ARCOSSAURO. A questã séria: os únicos restos de ORNITISQUIANOS triássicos que restam na América do Norte são dentes. Se houve um equívo com o Revueltossauro pode ser que tenham se enganado com tudo.
Serão dinossauros ou arcossauros?

Deinonicos

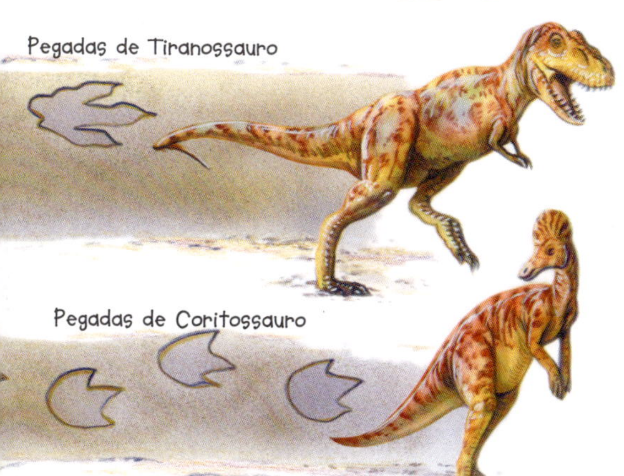

333 Conheça-os por suas pegadas

O TIRANOSSAURO **deixava pegadas de um canário gigantesco,** as pegadas do CORITOSSAURO, por sua vez, eram circulares e tinham três dedos. O gigantesco BAROSSAURO deixava pegadas grandes com os pés e pequenas com as mãos. E os dinossauros encouraçados moviam os membros de cada lado de uma vez, de forma que suas pegadas sempre avançavam de dois em dois: mão esquerda com pé esquerdo, mão direita com pé direito. Essa forma de movimentação utilizada hoje pelas girafas é chamada de esquipada.

334 Os ninhos

A vida no Mesozoico era dura. Uma mãe podia morrer antes de ver seus filhotes saírem dos ovos. Por isso, ninhos de ovos fósseis têm chegado até os nossos dias. São muito úteis para comparar os dinossauros adultos com seus bebês.

Dinossauros na Espanha

335 Espanha (Teruel) – I

O TERRITÓRIO DINÓPOLIS, **em Teruel, na Espanha, uma mistura de parque de diversões e museu dividido por cinco povoados.** Na própria capital, Teruel, encontra-se a Fundação Dinópolis, com dinossauros robóticos, jogos e espetáculos. Se você for a INHÓSPITAK, em Peñarroya de Tastavins, verá o esqueleto do SAURÓPODE mais completo da Espanha.

336 Espanha (Teruel) – II

Em Galve, a 60 quilômetros de Teruel, você vai entrar em LE GENDARK**, lugar do** ARAGOSSAURO**, do** GALVESSAURO **e de outros gigantes**, e vai encontrar uma das coleções de ICNITAS mais importantes da Europa. A REGIÃO AMBARINA, em Rubielos de Mora, vai mostrar a você como trabalham os paleontólogos, e o BOSQUE PÉTREO, de Castellote, revelará como conviveram dinossauros e mamíferos há 125 milhões de anos.

337 Espanha (Isona) – I

No povoado de ISONA, a noroeste da província de Lérida, encontramos a maior coleção de dinossauros de toda a Catalunha. No PARQUE CRETÁCICO, você descobrirá a época em que os Pirineus estavam se formando. O município de Conca Dellà ainda fazia limite com o Oceano Atlântico e HADROSSAUROS, TITANOSSAUROS e NOTOSSAUROS vagavam pela região.

Camarassauro

Arqueópterix

Território DINÓPOLIS (Teruel)

PARQUE CRETÁCICO (Catalunha)

Gomfotério

Basilossauro

Dinotérios

Calicotério

338 Espanha (Isona) – II

No PARQUE CRETÁCICO há mais de 2 mil ICNITAS deixadas por animais que vinham de um pântano de água salgada. Também há um depósito de ovos de 70 milhões de anos, com muitos ninhos que conservam os ovos exatamente como foram encontrados.

339 O parque sem dinossauros

No PARQUE DA CIDADELA DE BARCELONA deveria haver 12 estátuas de grandes criaturas pré-históricas em tamanho natural. Mas **NORBERT FONT**, o incentivador da ideia morreu quando só se havia colocado a primeira delas, e o projeto parou.
O MAMUTE de pedra da Cidadela continua solitário perto do lago, enquanto as crianças se agarram às suas presas enormes.

Seguindo pistas (II)

Excrementos fossilizados

340 Os excrementos

Um dos restos fósseis mais curiosos é o COPRÓLITO (que literalmente quer dizer COCÔ de PEDRA). Por serem de origem orgânica, os excrementos dos dinossauros também podiam se fossilizar. Com eles, podemos pesquisar os costumes alimentares dos dinossauros: o que comiam, como mastigavam e como digeriam os alimentos.

Daspletossauro

341 O maior coprólito

Em 1990, a paleontóloga WENDY SLOBODA encontrou no Canadá um enorme COPRÓLITO de 63 centímetros de comprimento: o maior do mundo. Era de um DASPLETOSSAURO ou de um GORGOSSAURO. De qualquer maneira, era de um carnívoro feroz, já que dentro do coprólito foram encontradas, muito bem conservadas, fibras musculares de um outro dinossauro que havia sido devorado.

342 Ossos no lixo

... É preciso estar sempre preparado para encontrar indícios da vida dos dinossauros. Os ossos do THOTOBOLOSSAURO foram encontrados junto a um aterro dos nativos de Lesoto. Na língua do povo da região, THOTOBOLO significa "monte de lixo".

343 Na ponta do nariz

Os PALEONTÓLOGOS **são como detetives: procuram pistas, reconstroem a morte de seus clientes e tratam de descobrir como eram e como viviam.** O problema é que todas essas pistas foram deixadas há milhões de anos e, às vezes, confundem: a princípio, por exemplo, acreditou-se que a garra do polegar do IGUANODONTE era um chifre que ele tinha sobre o nariz.

Iguanodontes

344 Corrigir é inteligente

Apesar dos erros como o do IGUANODONTE, **os paleontólogos seguem se esforçando em busca da exatidão em seu trabalho.** Em 1954, foram encontrados no Arizona os restos de um dinossauro e seu descobridor, SAMUEL WELLES, afirmou que eram de um MEGALOSSAURO. Muito tempo depois descobriu-se que eram ossos de um DILOFOSSAURO. Em 1984, Welles publicou um novo estudo em que colocava os dados corretos. Nunca é tarde para corrigir, mas Welles demorou 30 anos!

Os descobrimentos

345 O que é um fóssil-índice?

Quando se sabe tanto sobre um fóssil, que se pode distinguir diversas espécies de um mesmo animal, é fácil determinar com exatidão em que época ele viveu. Quando voltam a encontrar um fóssil dessa espécie, os paleontólogos sabem no mesmo instante a que época pertencem. Essas criaturas são chamadas de **fósseis-índice** ou **fósseis-guia**.

346 A evolução

Ainda que não seja um dinossauro, a história do ICTIOSSAURO é ideal para ver a evolução de um fóssil desde a sua descoberta: começa em 1699, com fragmentos fósseis encontrados em Gales. Nove anos depois, anunciou-se que suas vértebras demonstravam o Dilúvio Universal. Mas foi só em 1811, na Inglaterra, que MARY ANNING descobriu o primeiro fóssil completo de Ictiossauro.

347 Mais descobrimentos

Depois de tanta espera, o Ictiossauro entrou na moda no século 20: em 1905, uma expedição descobriu 25 exemplares em Nevada, que durante o Triássico se encontrava embaixo d'água. Lá há um esqueleto completo de 17 metros, e no Canadá encontra-se o Golias dos ICTIOSSAUROS: um fóssil de 23 metros, tamanho de seis automóveis.

348 Olhe bem onde procura

Em alguns locais é mais fácil encontrar dinossauros que em outros. Na América e na China, por exemplo, há grandes depósitos de fósseis. Na Antártida foram encontrados dinos únicos. Mas é melhor que você não procure na Nova Zelândia: **até agora só se encontrou um osso de dinossauro por lá!**

Megalossauro

349 O primeiro repórter

Descobrir fósseis é importante, mas ninguém saberia disso se os paleontólogos não pudessem contar para os outros sobre suas descobertas: as revistas científicas são indispensáveis para se estar em dia. O primeiro que descreveu um osso de dinossauro em uma publicação assim foi WILLIAM BUCKLAND, sacerdote e geólogo que, em 1824, deu nome ao MEGALOSSAURO na revista *Transações da Sociedade Geológica de Londres.*

A irrefreável Mary Anning

Mary Anning

A necessidade

MARY ANNING era uma mulher muito curiosa. Contam que caiu um raio em seu povoado quando ela só tinha um ano: ele atingiu quatro pessoas e todas morreram, menos ela, que estava destinada a grandes façanhas. Em 1810, a pequena Mary e seu irmão Joseph ficaram órfãos e começaram a ganhar a vida recolhendo fósseis nas falésias de Lyme Regis.

A moda

No final do século 18, os fósseis estavam na moda na Inglaterra. Pouco a pouco seu estudo foi se convertendo em ciência, à medida que se compreendia sua importância. MARY ANNING ficou amiga dos cientistas, a quem vendia os fósseis, e ela mesma começou a se interessar por aqueles restos do passado.

A grande investigadora

E Mary fazia grandes achados! Em 1811, uma grande tormenta abriu parte das falésias de Lyme Regis e MARY ANNING encontrou o primeiro esqueleto completo de um ICTIOSSAURO. E, em 1821, passou definitivamente para a história ao descobrir o primeiro PLESIOSSAURO.

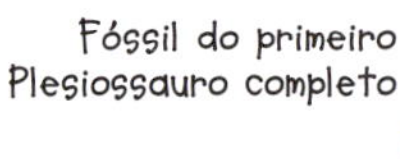
Fóssil do primeiro Plesiossauro completo

353 Mais descobrimentos

Outras descobertas feitas por MARY ANNING são uma RAIA MANTA, do Triássico, e o primeiro PTERODÁCTILO encontrado fora da Alemanha. Em 1847, a Sociedade Geológica de Londres a nomeou membro de honra por sua grande contribuição à ciência.

Pterodáctilo

Ictiossauro

354 O legado

Com o tempo, as descobertas de MARY ANNING foram se revelando mais importantes do que pareciam: antes se acreditava que os fósseis desconhecidos eram de animais que viviam em algum lugar afastado. Mas em nenhuma parte se poderiam esconder tantos animais como os encontrados por Mary Anning. Sem saber, ela demonstrou que os animais podiam se extinguir.

Os grandes paleontólogos (I)

Estegossauro

355 Quem será?

Se alguém encontra um novo fóssil e o cham de PALEOSSAURO **(RÉPTIL ANTIGO), pode fazer com que qualquer paleontólogo morra de rir.** É que no século 19 colocaram esse nome em oito criaturas diferentes. Desde um CROCODILO até um par de FITOSSAUROS ou outro RÉPTIL diferente.

356 O descobridor do Pterossauro

A essa altura devemos falar de OTHNIEL CHARLES MARSH, **um homem muito importante para a história da paleontologia.** Ele descobriu o PTEROSSAURO, como diz o título e muitos outros fósseis. E foi o primeiro a encontrar o TRICERATOPE e o ESTEGOSSAURO. Curiosamente seu melhor trabalho não tinha a ver com o Mesozoico, e sim com a evolução dos cavalos.

ANTEPASSADOS DO CAVALO

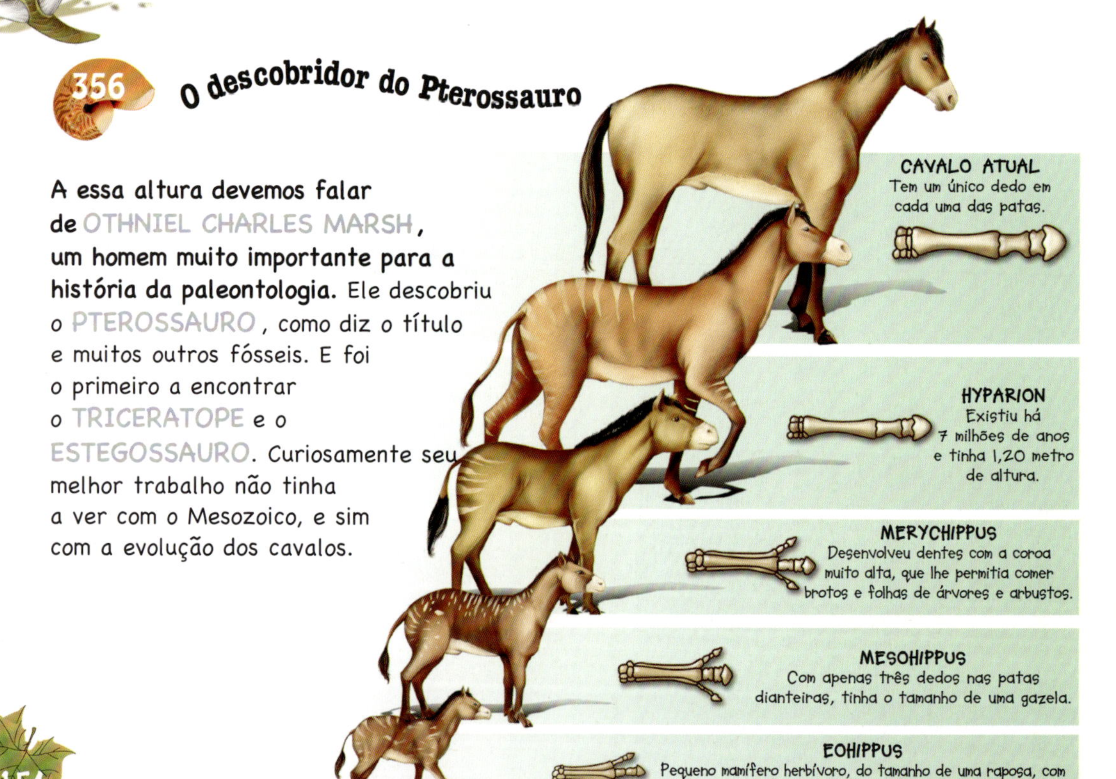

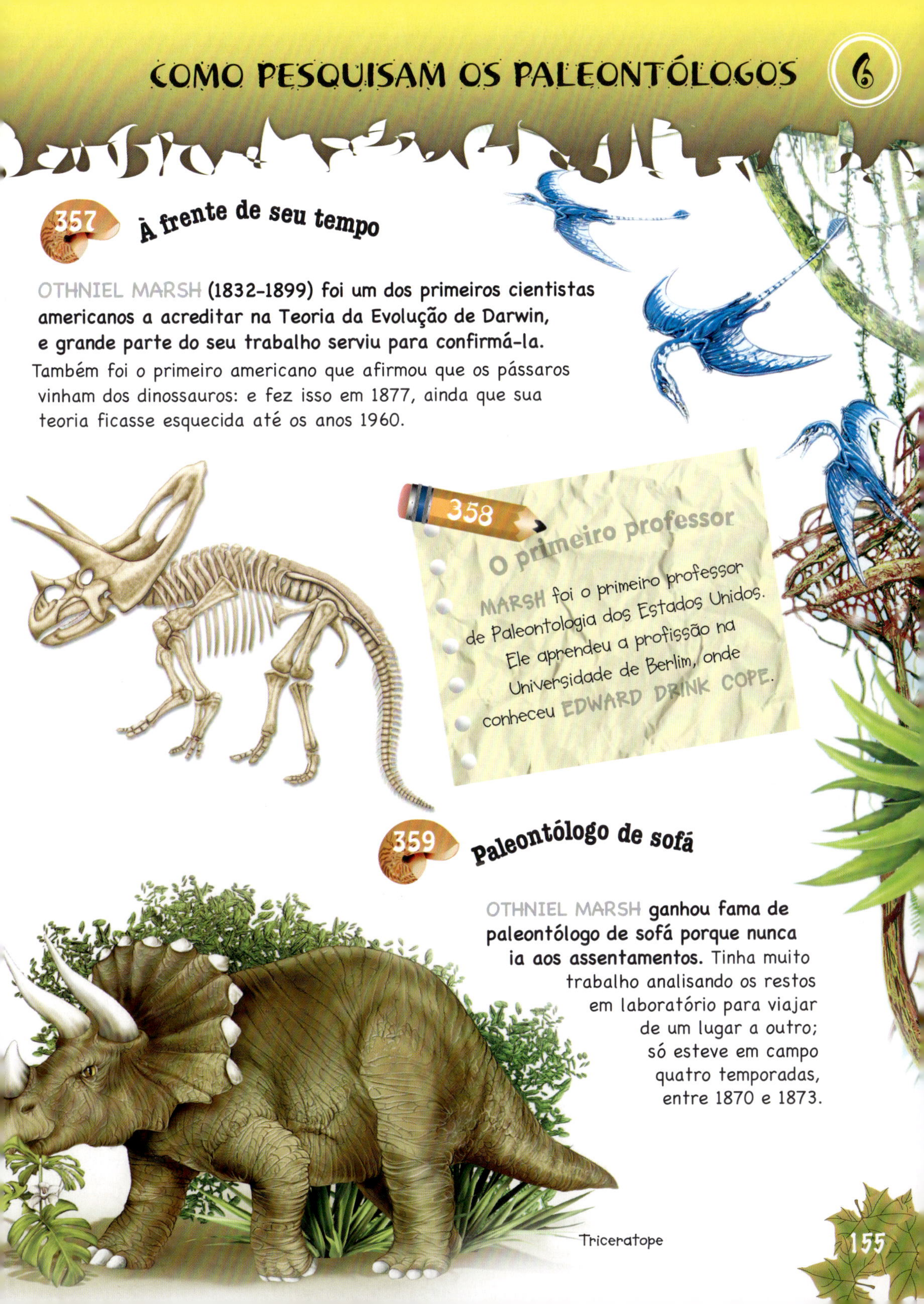

357 À frente de seu tempo

OTHNIEL MARSH (1832-1899) foi um dos primeiros cientistas americanos a acreditar na Teoria da Evolução de Darwin, e grande parte do seu trabalho serviu para confirmá-la. Também foi o primeiro americano que afirmou que os pássaros vinham dos dinossauros: e fez isso em 1877, ainda que sua teoria ficasse esquecida até os anos 1960.

358 O primeiro professor

MARSH foi o primeiro professor de Paleontologia dos Estados Unidos. Ele aprendeu a profissão na Universidade de Berlim, onde conheceu EDWARD DRINK COPE.

359 Paleontólogo de sofá

OTHNIEL MARSH ganhou fama de paleontólogo de sofá porque nunca ia aos assentamentos. Tinha muito trabalho analisando os restos em laboratório para viajar de um lugar a outro; só esteve em campo quatro temporadas, entre 1870 e 1873.

Triceratope

Os grandes paleontólogos (II)

360 Muitas descobertas

Há quem seja famoso por uma única descoberta e outros que ganham fama com diversas: EDWARD COPE (1840-1897) pertence ao segundo grupo. Ele descobriu mil novas espécies animais, incluindo 56 dinossauros e os mamíferos mais antigos de que se tem notícia. Sua especialidade eram os anfíbios e mamíferos.

361 A evolução

EDWARD COPE **acreditava na evolução das espécies, mas de maneira diferente de** DARWIN. Ele concordava com JEAN-BAPTISTE LAMARCK, quando dizia que os animais desenvolviam as partes que mais utilizam: segundo eles, os GORILAS do mundo inteiro usavam muito os braços, por isso, eram mais fortes.

362 A lei de Cope

A LEI DE COPE diz que, com os anos, os animais ficam maiores. Se essa teoria se confirmar, significa que as espécies podem sobreviver bastante bem ao crescer porque o tamanho lhes dá maiores defesas; mas ao mesmo tempo o aproxima da extinção porque quanto mais crescem de mais comida necessitam.

363 Os amigos não fazem isso

EDWARD COPE e OTHNIEL MARSH **começaram sendo bons amigos:** Cope havia feito descobertas em Nova Jersey, e Marsh, que era o único professor americano de Paleontologia, estava muito interessado em conhecê-las. Juntos, desenterraram alguns esqueletos incompletos, mas sua amizade terminou no dia em que Marsh pagou para que os escavadores de Cope trouxessem para ele os fósseis que haviam encontrado. **Que cara de pau!**

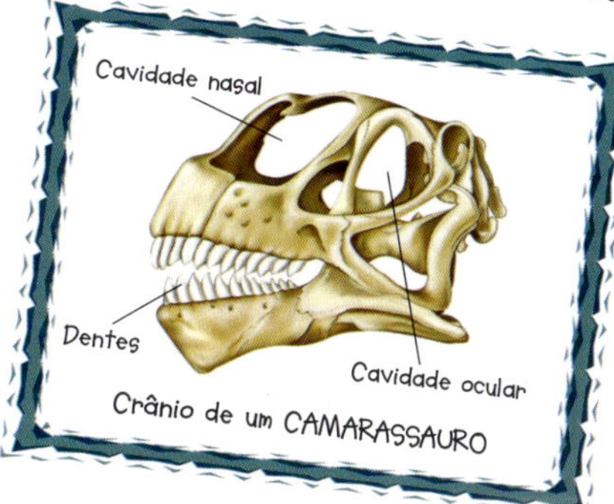

Crânio de um CAMARASSAURO

364 Isto é a guerra!

Em 1870, os dois grandes paleontólogos passaram a ser rivais para sempre: EDWARD COPE colocou no lugar da cauda a cabeça de um ELASMOSSAURO. OTHNIEL MARSH fez piada desse erro por toda parte. Assim nasceu uma longa competição chamada "A GUERRA DOS OSSOS". E isso porque Marsh também se equivocava: ele montou um APATOSSAURO com cabeça de CAMARASSAURO, e ninguém se deu conta até 1981!

A guerra dos ossos

365 A guerra dos ossos

COPE e MARSH declararam guerra um ao outro. Desde 1858, os rivais começaram a buscar o título de melhor descobridor de animais extintos: como dissemos, essa competição foi chamada de "A GUERRA DOS OSSOS". Antes da briga, só tinham sido encontradas 18 espécies de dinossauros na América do Norte: **quando acabou, já se conheciam mais de 130 espécies.**

A capa protetora de gesso é retirada com cuidado.

366 Verão e Inverno

MARSH e COPE tinham muito dinheiro, e o utilizavam para pagar, do próprio bolso, expedições para o Oeste a cada verão e enviavam toneladas de fósseis para as universidades do Leste. Ali estudavam os restos e publicavam suas descobertas no Inverno.

Para não sofrer danos, os ossos são limpos com muita delicadeza.

367 Aproveitar oportunidades

Mas os paleontólogos modernos não se lembram com carinho dessa época de descobertas. É que tanto OTHNIEL MARSH quanto EDWARD COPE aproveitavam qualque oportunidade para irritar o oponente fazendo piadas, subornando investigadores e políticos, cavando em território sagrado, tentando sempre fazer com que o outro ficasse mal **Terrível!**

368 Sabotagem para ser o melhor

As equipes de MARSH e COPE eram tão competitivas que, às vezes, roubavam os fósseis descobertos, atiravam bombas nos campos de pesquisa do outro para destruir o trabalho e até dinamitavam o próprio assentamento para que o rival não pudesse continuar com as escavações!

Esqueleto de um Diplódoco

369 Quem ganhou a guerra?

Numericamente, o ganhador foi OTHNIEL MARSH: encontrou 86 novas espécies, enquanto EDWARD COPE só desenterrou 56, mas os dois acabaram arruinados. Os únicos beneficiados com a briga deles foram os museus, que ficaram com os fósseis que iam sendo desenterrados: os de Cope estão na Academia de Ciências da Filadélfia, e os de Marsh foram divididos entre o Instituto Smithsonian e o Museu Peabody, na Universidade de Yale, Connecticut.

370 Fraude!

O paleontólogo belga LOUIS DOLLO queria demonstrar que os IGUANODONTES caminhavam sobre duas patas, mas as evidências que havia encontrado até o momento contradiziam sua teoria. Em vez de retificar, quebrou as caudas dos fósseis para que eles pudessem ficar eretos.

Graças aos museus e ao cinema, tem surgido entre o grande público o interesse por conhecer a vida e costumes desses fascinantes animais.

Os grandes paleontólogos (III)

A pirita

No final do século 19, começaram a acontecer as primeiras exposições sobre dinossauros. Com o passar dos anos, um material chamado PIRITA havia penetrado nos ossos. Em contato com o ar, a pirita se transforma em sulfato de ferro, e isso fez com que os ossos se quebrassem. O Museu de Ciências Naturais de Bruxelas tentou solucionar o problema com um remédio à base de álcool, arsênico e laca, que só piorou as coisas.

A cura da pirita

Hoje sabemos que o erro do antídoto do Museu de Bruxelas foi prender umidade dentro dos oss o que os danificava ainda mals. Para evitá-la, agora é injetada uma substância artificial que retira a umidade, endurece os ossos e cura de vez a doença da PIRITA.

Uma casa fóssil

Nos Estados Unidos, existe a CASA MUSEU DE FÓSSEIS DE DINOSSAUROS. É um lugar único: além de conter uma exposição de animais mesozoicos, a casa é toda feita de ossos de dinossauro. Ela foi erguida por THOMAS BOYLAN, em 1933, com pedaços de ossos do sítio paleontológico de **Como Bluff**. Ele também construiu uma casa de pedra tão grande quanto um DIPLÓDOCO para que as pessoas tivessem uma noção do tamanho daquele animal.

O paleontólogo revolucionário

Um dos paleontólogos que trabalharam em Como Bluff foi ROBERT T. BAKKER: **com seu jeito de motorista, chapéu de vaqueiro e uma espessa barba, Bakker não tinha a aparência típica de um cientista. Ele escreveu u romance** (veja curiosidade 467), **vários livros sobre dinossauros, foi consultor do filme** ***Parque dos Dinossauros*** **e até apareceu em um videoclipe do filme, dando dicas sobre as espécies de dinos.**

Robert T. Bakker

Descobertas de última hora

Dois dos últimos descobrimentos feitos pelos paleontólogos são: o GIGANTORAPTOR, encontrado na China, que parecia um pássaro gigante de **8 metros de comprimento**; e o EOCURSOR, um pequeno Triceratope cretáceo, que media apenas 30 centímetros e era rápido como as atuais raposas.

Estegossauro

Os grandes paleontólogos (IV)

Bonaparte, o orgulho da Argentina

Entre 1970 e 1990, o paleontólogo argentino JOSÉ FERNANDO BONAPARTE **descobriu um total de 21 dinossauros na América do Sul:** o PTERODAUSTRO (conhecido como "PTEROSSAURO FLAMENCO"), vários ARCOSSAUROS e alguns PÁSSAROS PRIMITIVOS. Ele foi o primeiro a se dar conta de que os dinossauros de Gondwana eram maiores do que os da Laurásia.

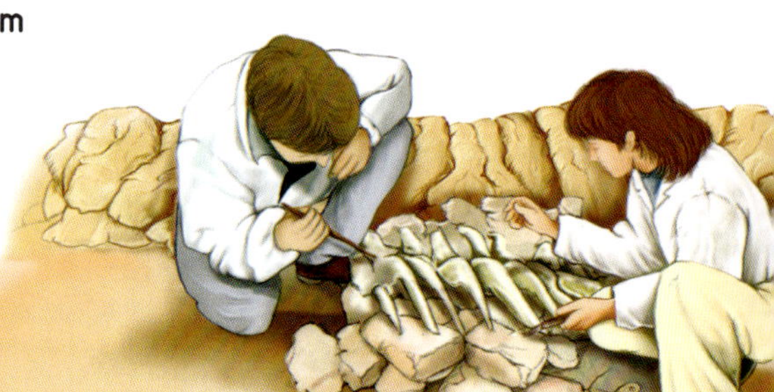

Ameghino, o pioneiro

Pela importância de seu trabalho, JOSÉ BONAPARTE **foi muitas vezes comparado com** FLORENTINO AMEGHINO **(1854-1911),** primeiro grande cientista argentino, paleontólogo, antropólogo e professor. Ele estudou os fósseis do Pampa e, para pagar as expedições, abriu uma livraria com o irmão.

Ameghino, o escritor

E a verdade é que o trabalho de FLORENTINO AMEGHINO **bastaria para rechear várias livrarias:** escreveu 24 obras de 700 a 800 páginas cada uma, com descrições de quase mil animais extintos (muitos descobertos por ele).

379 "Dino Don" Lessem (I)

O americano DONALD LESSEM, apelidado de DINO DON Lessem, passou 15 anos viajando pelo mundo todo atrás de rastros dos dinossauros: ele supervisionou a escavação e reconstrução dos enormes GIGANOTOSSAURO e ARGENTINOSSAURO. Publicou mais de 80 livros sobre o tema e escreveu em inglês para a revista infantil mais famosa, *Highlights for Children*.

380 "Dino Don" Lessem (II)

DINO DON **foi o fundador das maiores organizações que buscam fundos para a investigação do Mesozoico: The Dinosaur Society e Jurassic Foundation.**
Por isto e por seu empenho em aproximar o mundo das maravilhas dos dinossauros, JOSÉ BONAPARTE batizou um Prossaurópode triássico em sua homenagem: o LESSEMSAURO.

As últimas descobertas (I)

381 Caçador legendário (I)

A vida de ROY CHAPMAN ANDREWS (1884-1960) foi cheia de aventuras pelos rincões mais distantes. A China, que no início do século 20 era um lugar muito perigoso pelas constantes guerras, foi seu principal objetivo. Mais precisamente o deserto de Gobi e a Mongólia. Nessa região, em 1923, foram resgatados os primeiros ovos de dinossauro, depois levados para o Museu Americano de História Natural.

382 Indiana Chapman

ROY CHAPMAN enfrentou baleias, tubarões, cobras e bandidos para levar suas descobertas para o mundo ocidental. Em mais de uma ocasião, foi dado como morto, mas sempre conseguiu sair das situações mais complicadas. É normal que tenha inspirado STEVEN SPIELBER e GEORGE LUCAS para criar o famoso aventureiro INDIANA JONES

383 Novos dados

O trabalho do DR. SANKAR CHATTERJEE, **do Museu da Universidade Politécnica do Texas, tem permitido descobrir interessantes dados sobre répteis indianos do final do Triássico:** FITOSSAUROS, RINCOSSAUROS e ARCOSSAUROMORFOS como o TANISTROFEUS. No Texas, encontrou o POSTOSUCHUS e o polêmico PROTOAVIS, que revolucionou as datas de aparição das aves no planeta.

Tanistrofeus

Postosuchus

384 O fim dos dinos

CHATTERJEE **voltou, ultimamente, a se ver relacionado com a sua especialidade original: o movimento dos continentes.** Ao ir para a Índia examinar a enorme cratera de um meteorito, descobriu que há 65 milhões de anos esse país se chocou contra a Ásia. Esse choque ativou vulcões por todo o mundo, o que, unido ao pó levantado pelos impactos de meteoritos no Canadá, México e Índia, mudou o clima e matou os dinossauros.

Placerias

As últimas descobertas (II)

385 O maior dino

A equipe de LUIS ALCALÁ**, diretor da Fundação Conjunto Paleontológico de Teruel,** na Espanha, descobriu o TURIASSAURO, maior dinossauro da Europa. Outro descobridor de animais pré-históricos é MANUEL DOMÍNGUEZ-RODRIGO , especializado em fósseis de mamíferos.

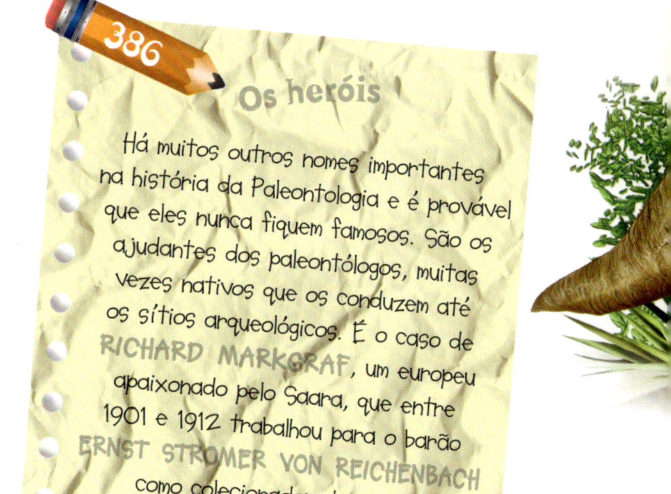

386 Os heróis

Há muitos outros nomes importantes na história da Paleontologia e é provável que eles nunca fiquem famosos. São os ajudantes dos paleontólogos, muitas vezes nativos que os conduzem até os sítios arqueológicos. É o caso de RICHARD MARKGRAF, um europeu apaixonado pelo Saara, que entre 1901 e 1912 trabalhou para o barão ERNST STROMER VON REICHENBACH como colecionador de ossos.

387 O primeiro dino voador

Em 1996, a equipe de pesquisadores de JOSÉ LUIS SANZ **descobriu em Cuenca, na Espanha, o primeiro dinossauro voador,** um réptil de 115 milhões de anos, parecido com um avestruz, mas com focinho cheio de dentes afiados: e deu a ele o nome de PELECANIMIMO .

Pelecanimimo

388 O dino mais chifrudo

Em 1996, um menino de 8 anos, chamado CHRISTOPHER WOLFE, descobriu no Novo México o fóssil do dinossauro chifrudo mais antigo que se conhece: o ZUNICERATOPE (que viveu há 90 milhões de anos) e tinha um terceiro chifre no nariz.

Triceratope

389 Os últimos dinossauros

Em 2002, apareceu no Novo México um osso de HADROSSAURO de 64,5 milhões de anos. Isso significa que ainda restaram dinossauros depois da grande extinção. Ainda assim, também pode ser que os restos tenham se deslocado por causa dos pequenos terremotos. **É preciso investigar mais!**

Hadrossauro

Os pioneiros (I)

390 Dinos com tradição

Os dinossauros apareceram em mais de 700 filmes, seriados e videogames: é fascinante imaginar como seria nossa vida se tivéssemos convivido com eles. Mas as histórias de dinossauros apareceram antes da invenção do cinema: **primeiro, eles foram famosos nos livros.**

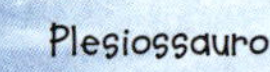
Plesiossauro

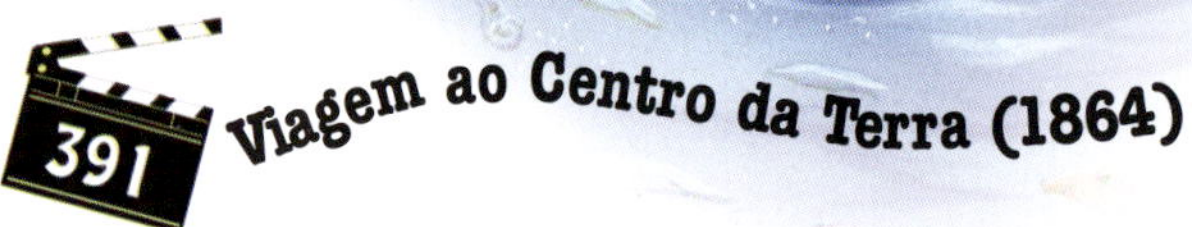

391 Viagem ao Centro da Terra (1864)

Em 1864, Júlio Verne escreveu *Viagem ao Centro da Terra*, a história de alguns cientistas que descobrem uma imensa cratera onde ainda convivem animais pré-históricos, mesmo que dinossauros não autênticos. No romance de Verne, aparecem ICTIOSSAUROS, PLESIOSSAUROS e MASTODONTES.

Júlio Verne

392 O que aprendemos

A ciência avançou muito desde 1864: JÚLIO VERNE escreveu que no espaço a temperatura é de -40°C e que os vulcões entram em erupção quando se mistura a lava com a água, embora hoje saibamos que ele não estava certo.

393 Mais centros da Terra

A adaptação para o cinema de *Viagem ao Centro da Terra* **é um filme de 1959, protagonizado por Pat Boone e James Mason.** Há uma versão espanhola de 1976 dirigida por Juan Piquer Simón, três minisséries televisivas, uma peça de teatro do ano 2000, dois videogames e um disco de 1974, com música de Rick Wakeman.

Ictiossauros

394 O mundo perdido (1912)

ARTHUR CONAN DOYLE **foi um escritor escocês muito conhecido por ter criado o personagem** SHERLOCK HOLMES. Mas ele também escreveu romances de aventura como *O Mundo Perdido*, em que o professor Challenger e sua equipe viajam para uma floresta sul-americana em busca de algum dinossauro e acabam presos em um vale cheio deles.

Esta pintura é de Harry Rountree, o ilustrador original do romance *O Mundo Perdido.*

Os pioneiros (II)

395 Os dinossauros de O Mundo Perdido

Na romance aparecem MEGALOSSAUROS, IGUANODONTES **e** ESTEGOSSAUROS; **répteis marinhos como os** ICTIOSSAUROS **e os** PLESIOSSAUROS; **monstros alados como o** PHORUSRHACO **ou o** DIMORFODONTE **e vários mamíferos primitivos.** A equipe do professor Challenger leva para casa um PTEROSSAURO, animal extinto que, como agora você já sabe, não era um dinossauro.

396 Erro de proporção

DOYLE **cometeu alguns erros ao descrever o tamanho de seus répteis:** por exemplo, um ALOSSAURO "tão grande quanto um cavalo" ataca o acampamento dos protagonistas. Pois devia ser um bebê porque os alossauros podiam medir 10 metros.

Dinossauro no avião

Em 22 de junho de 1925, estreou a primeira versão cinematográfica de *O Mundo Perdido*, **dirigida por Harry Hoyt.** Também foi o primeiro filme projetado em um avião, durante um voo entre Londres e Paris, e o primeiro a utilizar a técnica de animação com bonecos STOP MOTION para dar vida aos seus dinossauros.

Muitos mundos perdidos

Seis filmes e três séries de televisão foram adaptados de *O Mundo Perdido*. Às vezes, os roteiristas mudam um pouco a história para que haja novos personagens no vale, mas em outras ocasiões parece que havia mais gente no mundo perdido: em uma das séries, Challenger e seus exploradores chegaram a se encontrar com os descendentes do Rei Arthur e até com o terrível Jack, o Estripador.

Gertie the Dinosaur (1914)

Um dos desenhos animados mais antigos da história foi *Gertie the Dinosaur*, um curta-metragem criado por Winsor McCay e protagonizado por um pacífico BRONTOSSAURO. Foi o primeiro dinossauro animado.

1914-1933: os primeiros reis

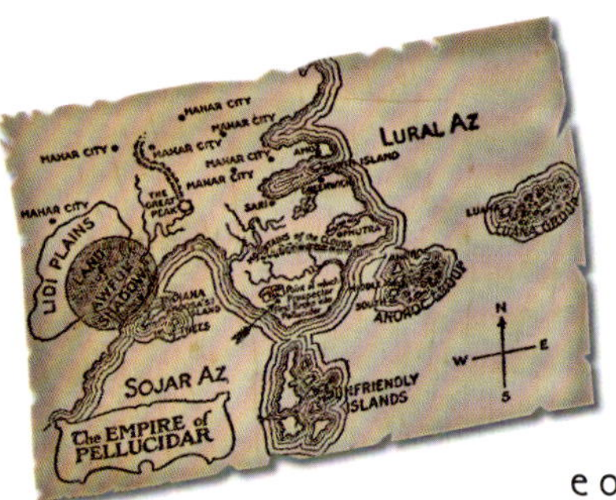

Pellucidar

O escritor EDGAR RICE BURROUGHS disse em seu romance *At the Earth's Core (No Centro da Terra)* que a Terra era oca e que a 750 quilômetros de profundidade existia um mundo chamado PELLUCIDAR.

Burroughs descreveu diversos dinossauros e outros animais que sobreviviam embaixo da terra. As histórias de Pellucidar são tão interessantes que a editora Comics DC criou Skartaris, um mundo muito parecido, com dinossauros incluídos.

401

Mais surpresas em Pellucidar

Alguns animais de Pellucidar tinham evoluído, como os Mahars, malvados PTEROSSAUROS com poderes mentais, ou os Horibs, uma raça de homens-lagarto que cavalgavam dinossauros e enfrentaram Tarzan, o personagem mais famoso de Burroughs, quando esteve em Pellucidar.

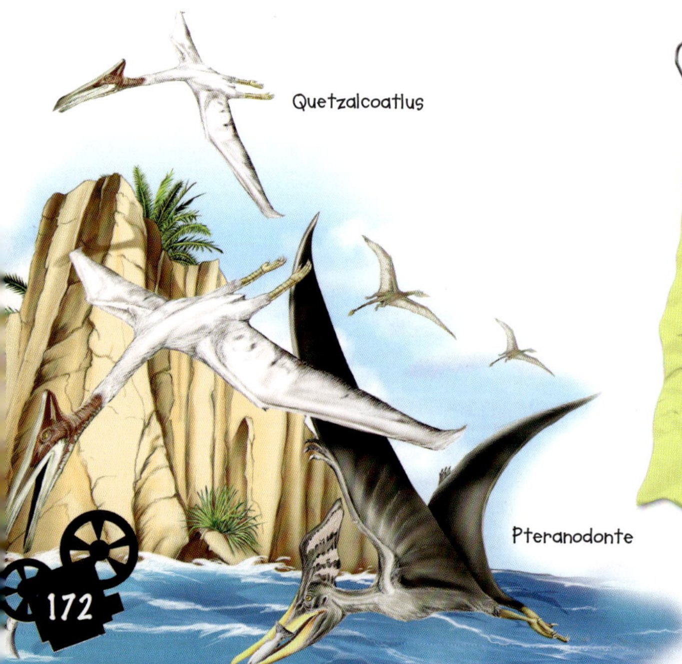
Quetzalcoatlus

Pteranodonte

"Terra Esquecida pelo Tempo" e "Mundo Perdido" se tornaram expressões habituais para se referir a lugares de difícil acesso em que sobrevivem espécies totalmente desconhecidas ou que se acreditava extintas. E ainda existem alguns lugares assim: em 2006, foi descoberto um vale na Indonésia, com mais de 40 novas espécies.

403 A Terra Esquecida pelo Tempo (Romance 1918, filme 1975)

Driptossauros

BURROUGHS **e os dinossauros voltariam a se encontrar neste romance. Durante a Primeira Guerra Mundial,** um par de náufragos chega à misteriosa Ilha de Caprona, repleta de vida pré-histórica de diversas épocas: PTEROSSAUROS, TIRANOSSAUROS, TIGRE-DENTES-DE-SABRE... Os protagonistas ficam tão surpresos que, quando constroem um refúgio, dão a ele o nome de Forte Dinossauro.

404 King Kong (1933, 1976 e 2005)

A Ilha da Caveira, lugar de onde vem o símio gigante mais famoso do cinema, era povoada por APATOSSAUROS e TIRANOSSAUROS. De acordo com o DVD da última versão do filme, o nome científico de King Kong seria MEGAPRIMATUS KONG e teria evoluído do GIGANTOPITECO, um símio de 3 metros que viveu há cinco milhões de anos na China.

405 A Ilha da Caveira

Você reconheceu todos os dinossauros que apareceram na versão de 1933 de ***King Kong*****?** Os visitantes da ilha incomodam um ESTEGOSSAURO que se lança sobre eles; há também um APATOSSAURO erroneamente colocado no pântano e uma mistura de TIRANOSSAURO e ALOSSAURO contra o qual King Kong luta. No ar também voam RHAMPHORHYNCHUS, PTERANODONTES e um ARQUEÓPTERIX.

406 Inventar dinos

O Filho de Kong **(1933) é a segunda parte da aventura:** desta vez, aparecem na Ilha da Caveira um ESTIRACOSSAURO e um PLESIOSSAURO. No filme mais moderno de King Kong, de 2005, não há dinossauros que se possa reconhecer. São todos inventados.

1940-1948: O'Brien, Disney e Batman

407 Há um Milhão de Anos (1940)

Este filme foi o primeiro que tentou ensinar como era a vida do homem das cavernas. Mas continuou errando com os dinossauros porque há um milhão de anos já não restava nenhum, nem sequer um tão pequeno quanto o TRICERATOPE do tamanho de um porquinho do início do filme.

Cartaz de um filme de 1918 de Willis O'Brien

408 Bonecos animados

Os fósseis não se movem. Como faziam todos esses filmes para mostrar dinossauros em ação? Alguns usavam a técnica do STOP MOTION, inventada por WILLIS O'BRIEN (o criador dos efeitos especiais de *O Mundo Perdido* e *King Kong*): nessa técnica os bonecos são gravados foto a foto, movendo-os um pouquinho de cada vez.
Em seguida, as imagens são passadas rapidamente (como se faz em um filme) e parece que os bonecos se movem.

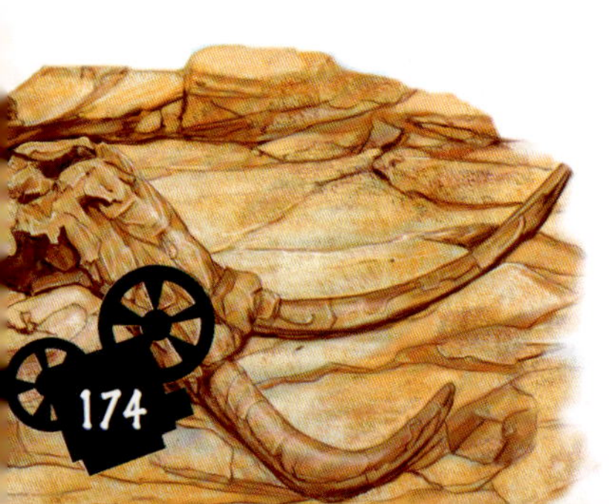

Fantasia (1940)

Este filme musical tem uma seção com a música "O Ritual da Primavera", de Igor Stravinsky, e conta o reinado dos dinossauros. WALT DISNEY animou os dinos de forma realista, ainda que cometesse erros, como misturá-los com o DIMETRODONTE, mas não deu muita importância: quando foi avisado de que havia desenhado mãos com três dedos no Tiranossauro (que só tinha dois), Disney respondeu: **"Mas com três dedos ele fica melhor".**

Dimetrodonte

Tiranossauro rex

O T-Rex do Batman (1946)

Na batcaverna sempre se vê ao fundo uma carta gigante, uma enorme moeda e um TIRANOSSAURO REX. A origem do Rex foi explicada numa história em que alguns ladrões roubavam um dinossauro robô de um parque de diversões. Batman os deteve, e o dono do parque, agradecido, lhe deu o robô.

O nascimento do Slurpassauro

Outro sistema mais "rústico" que a animação STOP MOTION era capturar répteis de verdade (lagartixas e varanos), colocar-lhes barbatanas e chifres e filmá-los bem de perto para parecerem gigantes. Esses dinossauros são chamados de SLURPASSAUROS, que significa algo como "nhamnhamssauros".

412 Um Som de Trovão (1952)

O conto de ficção científica mais vezes publicado é *Um Som de Trovão*, **de Ray Bradbury. Mas o que isso tem a ver com os dinossauros?** É que *Um Som de Trovão* é a história de um homem que viaja ao passado para caçar um TIRANOSSAURO: acidentalmente, ele pisa em uma borboleta e muda o futuro. Foi adaptado para o cinema em 2005 e há uma canção sobre ele no primeiro disco de DURAN DURAN.

413 Dinossauros kryptonianos (1952-1964)

Se em KRYPTON, o planeta originário do Super-Homem, existiam cães como os da Terra, por que não haveria dinossauros? Conhecemos três: o Snagriff, um lagarto de 3 metros com asas, que comia metal; o Drang, uma imensa serpente púrpura com cabeça de ELASMOSSAURO e chifres; e as bestas-pensamento, uma espécie de ESTIRACOSSAURO, que mostrava seus pensamentos em filmes projetados em seus colares-escudo.

Tiranossauro

414 O Monstro do Mar (1953)

Neste filme de aventuras, um dinossauro de 30 metros chamado RHEDOSSAURO é descongelado e destrói boa parte de Nova York. O Rhedossauro parecia uma mistura de TIRANOSSAURO e CROCODILO, e ainda transmitia uma doença mortal. Mas não tenha medo: esse dino nunca existiu fora dessa fascinante história e da imaginação de seu criador, o genial Ray Harryhausen.

Triceratope

415 Godzilla (1954)

No ano seguinte de *O Monstro do Mar*, **os japoneses da produtora Toho criaram GODZILLA.** O famoso monstro nasceu da radiação atômica (como o RHEDOSSAURO) e tem um aspecto que mistura características do IGUANODONTE, do TIRANOSSAURO REX e do ESTEGOSSAURO.

416 Honorável monstro gigante

Em japonês, monstros gigantes como GODZILLA, GAMERA ou KING KONG são chamados de KAIJU, que significa "BESTA MISTERIOSA". Se o monstro for maior que um arranha-céu, passa a ser chamado de DAIKAIJU.

417 Turok (quadrinhos e videogame)

Em 1954, REX MASON criou uma HQ com uma dupla de insólitos personagens das histórias de dinossauros: o índio americano TUROK e seu companheiro ÂNDAR enfrentavam répteis gigantescos que sobreviviam num mundo perdido do Novo México, onde o tempo passava muito lentamente. Desde 1997, Turok se tornou um herói dos games.

1955-1965: Yaba-daba-doo

Mamute

418 Viagem à Pré-história (1955)

Este filme tcheco mostra a viagem de um grupo de amigos que dão uma volta de barco por um rio subterrâneo e percebem que estão voltando à era dos dinossauros. Conhecem MAMUTES, ESTIRACOSSAUROS, BRONTOSSAUROS, ESTEGOSSAUROS e até PTERANODONTES.

419 Os Flintstones (1960-1966)

Yaba-daba-doo! DINO, o "bichinho de estimação" de Wilma e Fred Flintstone é um astro da TV desde 1960. Trata-se de um imaginário "snorkassauro" que, apesar da aparência, se comporta como um cão de guarda grandalhão, que adora lamber o dono e brigar com o gato da casa, um tigre-dentes-de-sabre chamado Baby Puss.

420 Ingenuidade pré-histórica

No mundo dos Flintstones, o homem utiliza dinossauros e outras criaturas pré-históricas para realizar as funções das máquinas modernas. Por exemplo, enormes QUETZALCOATLUS transportam os passageiros da companhia aérea PTERODÁCTILO. Tem também o PATOSSAURO-escavadora e o MINIMAMUTE-aspirador. Já sabemos que todos esses animais nunca viveram juntos, **mas bem que teria sido divertido!**

Eudimorfodontes

421 Dinos na Segunda Guerra Mundial (1960)

Em 1960, Robert Kanigher pensou em misturar uma história em quadrinhos de guerra com as histórias de dinossauros e criou a *Ilha dos Dinossauros*, um recanto perdido no Pacífico Sul: as aventuras dos soldados que encontraram dinos durante a Segunda Guerra Mundial foram publicadas com o título *A Guerra Que o Tempo Esqueceu.*

Apatossauro

422 O produtor pré-histórico (1962)

Já vimos que Ray Bradbury era fascinado por dinossauros. No conto "O Produtor Pré-histórico", Joe Clarence, um produtor de cinema muito mal-humorado descobre que as pessoas o enxergam como se ele fosse um TIRANOSSAURO. Será que Clarence vai ficar mais gentil? **Não! Ele vai aprender a aproveitar sua "tiranossauricidade" como um bom predador!**

Tiranossauro

423 A Terra Selvagem (1965)

Muitos super-heróis dos quadrinhos Marvel, do HOMEM-ARANHA *(Spiderman)* aos X-MEN, enfrentaram dinossauros sem viajar no tempo. No universo Marvel, existe a Terra Selvagem, um lugar quente escondido no Polo Sul, onde dinossauros e tigres-dentes-de-sabre convivem com tribos de mutantes e um casal humano: Ka-Zar e Shanna.

1966-1974: humanos X dinos

424 Há um Milhão de Anos (1966)

A segunda versão deste filme de 1940 volta a cair no mesmo erro: há um milhão de anos, todos os dinos já estavam extintos! Pelo menos o filme nos dá a oportunidade de ver ALOSSAUROS, TRICERATOPES e CERATOSSAUROS animados pelo grande mago dos efeitos especiais Ray Harryhausen. **O filme acerta quando chama de ARCHELON a tartaruga de 4 metros que ataca os protagonistas.**

Pteranodontes

425 Sauron

Um PTEROSSAURO vampiro que vomita fogo? Sim, um personagem bem estranho criado por Ray Thomas e Neal Adams em 1969: chama-se Sauron, como o vilão de *O Senhor dos Anéis*. Nos Quadrinhos Marvel, Sauron é o lado maligno de um bondoso psiquiatra que conseguiu seus estranhos poderes ao ser mordido por Pterodáctilos mutantes da Patagônia. **Quanta criatividade!**

426 O Vale do Gwangi (1969)

Inspirado num projeto de seu mestre Willis O'Brian, Ray Harryhaussen realizou este filme em que alguns vaqueiros capturam um ALOSSAURO no México e o levam para a civilização. E ele escapa em plena cidade. Mas Ray escolheu fósseis errados para modelar GWANGI, o Alossauro protagonista, porque se tratava de ossos de TIRANOSSAURO.

Alossauro

Quetzalcoatlus

427 Quando os Dinossauros Dominavam a Terra (1970)

Em 1970, estrearam mais filmes de dinossauros e homens das cavernas. Este foi rodado nas Ilhas Canárias e tinha efeitos especiais inigualáveis com STOP MOTION e SLURPASSAUROS para mostrar TRICERATOPES, ALOSSAUROS, PLESIOSSAUROS, PTEROSSAUROS e até... **caranguejos gigantes!**

Tiranossauro

428 A Invasão dos Dinossauros (1974)

Nesta série, o protagonista, Doutor Who, é um defensor da Terra que viaja numa máquina do tempo protegendo a Terra de ameaças extraterrestres. Ao longo de seis capítulos, TIRANOSSAUROS, PTERODÁCTILOS e ESTEGOSSAUROS aparecem e desaparecem no presente como parte de um plano de alguns ecologistas radicais que querem levar os homens de Londres. Outra vez voltam a confundir TIRANOSSAUROS e ALOSSAUROS.

Triceratope

Dinossauros dos quadrinhos

429 Stegron (1974)

Na edição 19 dos quadrinhos *Marvel Tean-UP* **surgiu um novo inimigo do Homem-Aranha:** Stegron, uma mistura de homem e ESTEGOSSAURO. Ele era muito forte, tinha a pele escamosa e à prova de balas, uma cauda ameaçadora e o poder de provocar confusões de dinossauro.

De onde saiu esse personagem em plenos anos 1970? Veja o número 423 para saber...

Estegossauro

430 Casimir (1974-1982)

As crianças francesas que viviam em meados dos anos 1970 se lembram com carinho do dinossauro CASIMIR, o protagonista do programa de televisão *L'Ile aux Enfants.* Casimir é um dino laranja de 2 metros de comprimento, com manchas vermelhas e amarelas. Sua comida favorita é o *gloubi-boulga*, uma mistura de geleia de morango, chocolate em pó, banana, mostarda e salsicha crua. Não parece muito apetitosa, **não é verdade?**

Casimir

431 Devil Dinosaur (1978)

Finalmente um dinossauro conseguiu protagonizar sua própria história em quadrinhos: em 1978, Jack Kirby, de **O QUARTETO FANTÁSTICO** e **CAPITÃO AMÉRICA**, imaginou um mundo em que conviviam dinossauros e humanoides. Para esse mundo, criou um TIRANOSSAURO mutante chamado **Devil Dinosaur** e seu amigo, um homem das cavernas chamado **Moon Boy**. Ter um amigo tiranossauro deve ser **muito legal...**

432 Os dinos nos quadrinhos

Nos anos 1970, os dinos eram abundantes nas vinhetas. Em 1977, apareceu o primeiro número de uma revista inglesa de quadrinhos de ficção científica, *2000 AD*: ali nasceu a série FLESH (CARNE), em que um grupo de rancheiros do século 22 viaja ao Cretáceo para conseguir bifes de dinossauro. Os dinos mais famosos da série são *Old One Eye*, um gigantesco T-REX, e seu filho Satanus, clonados e devolvidos à vida no futuro.

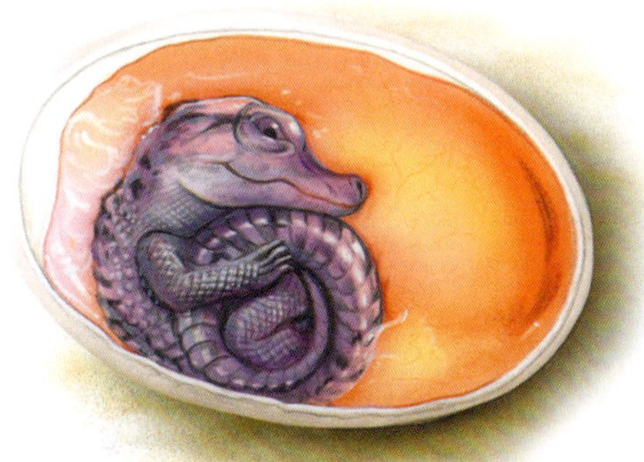

Mudanças nos anos 1980

433 Diversão com os dinos

Outras séries sobre dinossauros tiveram seu lugar em *2000 AD*: DINOSTIA foi uma paródia da realeza trocando os nobres por dinos, e em XTNC os dinossauros reaparecem no futuro e decidem devorar os últimos 200 homens antes que eles destruam o mundo. Nas histórias de Juez Dredd, existe também o Parque Nacional dos Dinossauros, uma espécie de Parque Jurássico criado doze anos antes do romance de Michael Crichton.

Dinos em outros planetas?

O romance *O Planeta dos Dinossauros* (1979), escrito por Anne McCaffrey, conta a história de uma missão espacial que pretende explorar um planeta distante, onde aparecem enormes TERÓPODES e pacíficos ORNITÓPODES. Mas... **Como eles chegaram lá? Serão iguais aos dinossauros terrestres? Ou a evolução os terá levado por caminhos diferentes?**

A Ilha do Terror

Em 1975, Gary Gygax inventou o primeiro jogo RPG: *Dungeons & Dragons.* Nesse mundo de espadas, elfos e ogros também há lugar para os dinossauros. Eles apareceram pela primeira vez em 1981, na aventura *A Ilha do Terror (Isle of Dread)*, que se passa no mundo de Greyhawk. Nessa "ilha esquecida pelo tempo", os dinos continuam existindo, inclusive um que ficou louco **ao comer uma planta alucinógena!**

Velociraptor

436 Videogames dos anos 1980

Durante os anos 1980, os dinossauros apareceram pouco no mundo dos GAMES. O destaque é *Dino Eggs* (1983), um jogo de plataforma em que era preciso procurar ovos de dinossauro, deixando acesa a fogueira para manter a mãe afastada. Em *Designasaurus II* (1990), era preciso misturar partes de dinossauros e enviar a criatura resultante à PANGEIA para recuperar códigos genéticos roubados. **Isso é que é criatividade!**

1983-1984: ficção científica

437 Você quer crescer?

Ray Bradbury gostava muito de dinos e, em 1983, criou um conto com o título *Besides a Dinosaur, Whatta Ya Wanna Be When You Grow Up? (Além de um Dinossauro, o Que Você Quer Ser Quando Crescer?)*. Conta a história de um menino que pergunta a si mesmo "o que ser quando crescer?". Nem médico, nem advogado, nem astronauta: ele quer ser um dinossauro. **E eu o entendo! Eu também adoraria ser um Triceratope de 9 metros. E você?**

438 Transformers (1984-1987)

Apenas cinco dos robôs transformáveis dirigidos por Optimus Prime se transformaram em dinossauros: são os DINOBOTS. o líder Grimlock se transforma em TIRANOSSAURO; Slag é um TRICERATOPE; Sludge, um BRONTOSSAURO; Snart, um ESTEGOSSAURO, e Swood, um PTERANODONTE. São robôs muito rebeldes, mas ao mesmo tempo cinco dos Transformers mais poderosos.

439 "Além da Imaginação" ou "The Twilight Zone" (1985)

No terceiro capítulo desta série, intitulado **"JOGO DE PALAVRAS"**, um homem deve reaprender a falar quando a linguagem das pessoas de sua região se transforma, trocando algumas palavras por outras. No idioma do novo mundo, a palavra para falar do almoço é... **DINOSSAURO**.

440 A evolução dos dinos

Os Sobreviventes (1984) é a segunda parte do romance *O Planeta dos Dinossauros*: os PTERODÁCTILOS evoluíram até se transformar nos inteligentes, mas ficam presos sem poder evoluir.

1985-1988: a revolução

Baby (1985)

No mundo real, o professor de bioquímica Roy Mackal foi para o Congo em 1980 estudar as lendas sobre um dinossauro que continuaria vivo, o MOKELE-MBEMBE. Cinco anos depois, Bill Norton dirigiu este filme em que os paleontólogos encontram um APATOSSAURO bebê e decidem protegê-lo de um caçador inspirado no doutor Mackal.

Os tentáculos da lula-gigante do filme *20 Mil Léguas Submarinas* (1954)

Apatossauros

442 Os animatrônicos

Baby foi filmado antes que os efeitos especiais por computador estivessem avançados, por isso todos os dinossauros do filme eram ANIMATRÔNICOS, ou seja, robôs movimentados seguindo um programa concreto. Eles foram criados por Lee Adams para a DISNEY: o primeiro animatrônico foi a lula-gigante do filme *20 Mil Léguas Submarinas* (1954).

443 Cadilacs e dinossauros (1986-1988)

Nos anos 1980, nasciam novas formas de contar aventuras com dinossauros. O game e série de desenhos animados *Cadilacs e Dinossauros*, assim como as HQs *Xenozoic Tales* contavam a história de como a humanidade retorna à superfície depois de viver 600 anos embaixo da terra para escapar dos desastres naturais que havia provocado e descobre que os dinossauros voltaram.

444 Combustível fóssil?

O petróleo, de onde vem a gasolina, é um combustível FÓSSIL: tem esse nome porque se forma depois de milhões de anos a partir dos restos de plantas e animais mortos. É um paradoxo que no mundo de *Cadilacs e Dinossauros*, onde o homem se esqueceu de como refinar petróleo, os protagonistas tenham inventado motores que funcionavam **com cocô de dinossauro!**

O Estenonicossauro, um parente próximo do Troodonte, era, segundo alguns cientistas, o dinossauro mais inteligente.

445 Dinosaucers (1987)

Esta série de desenhos animados conta a história da batalha entre Dinosaucers e Tyrannos, dois grupos de homens-lagartos extraterrestres. Os heróis podem "dinovolucionar" e transformar-se em dinossauros inteligentes. Os malvados Tyrannos, por sua vez, possuem uma Pistola Devolucionadora, que os transforma em dinossauros, mas com cérebro primitivo de um dino, além do terrível "fossilizador", que petrifica os inimigos.

Dinos animados

Nictossauro

A Dinoforce (1988)

Goryu (TIRANOSSAURO), Kakuryu (TRICERATOPE), Rairyu (PTERODÁCTILO), Doryu (ESTEGOSSAURO), Yokuryu (APATOSSAURO) e Gairyu (ANQUILOSSAURO) são seis Decepticons, com forma de répteis antediluvianos que obedecem ao destruidor Deszaras. Depois de caírem na Terra, feridos pelo impacto de um meteorito, os Autobots os reparam e, em agradecimento, a Dinoforce lhes dá informações sobre os planos de seus inimigos.

Em Busca do Vale Encantado (1988)

Em Busca do Vale Encantado **nasceu em 1988 das mãos de Don Bluth, George Lucas e Steven Spielberg.** Os cinco protagonistas são um APATOSSAURO (Pezinho), uma TRICERATOPE (Saura), um PTERANODONTE (Petrúcio), um ESTEGOSSAURO (Espora) e uma SAUROLOFOS (Patassaura).

Anquilossauro

Tiranossauro

Triceratope

Estegossauro

448 Denver, o Último Dinossauro (1988)

Depois do sucesso do filme de Don Blut, nasceram mais séries de desenhos animados protagonizadas por dinossauros: em *Denver, o Último Dinossauro,* uma espécie desconhecida de dino sai do ovo em pleno século 20, e um grupo de amigos o ensina a dançar, tocar guitarra e andar de patins.

Pteranodonte

Apatossauro

449 Os Novos Dinossauros (1988)

Em vez de levar alguém para viajar no tempo até o Mesozoico, *Os Novos Dinossauros* **pergunta como seria a fauna atual se os últimos dinossauros não tivessem sido extintos e tivessem tido a oportunidade de continuar evoluindo.** Seu autor, Dougal Dixon, levou em consideração a competição que teria acontecido entre os animais que conhecemos e os dinossauros, e em que casos os dinos venceriam.

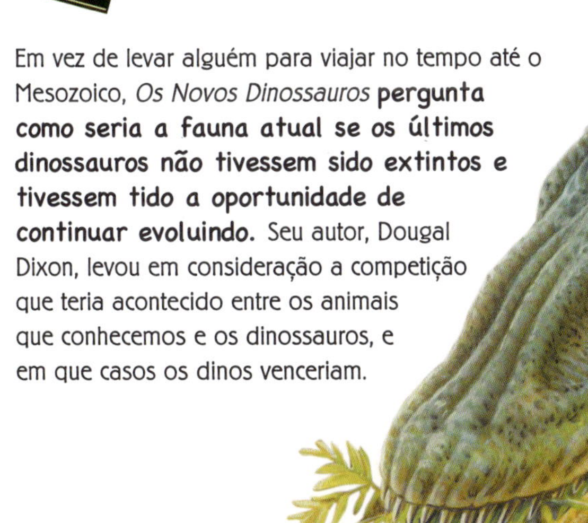

Parque dos Dinossauros, o filme

450 Romance 1990, filme 1993

O paleontólogo Alan Grant é o protagonista desta fascinante história em que os dinossauros podem voltar à vida graças à clonagem. Mas você sabia que o autor, Michael Crichton, se baseou em um paleontólogo de verdade? Isso mesmo. Foi em Jack Horner, descobridor dos Maiassauros e especialista em desenvolvimento de dinossauros.

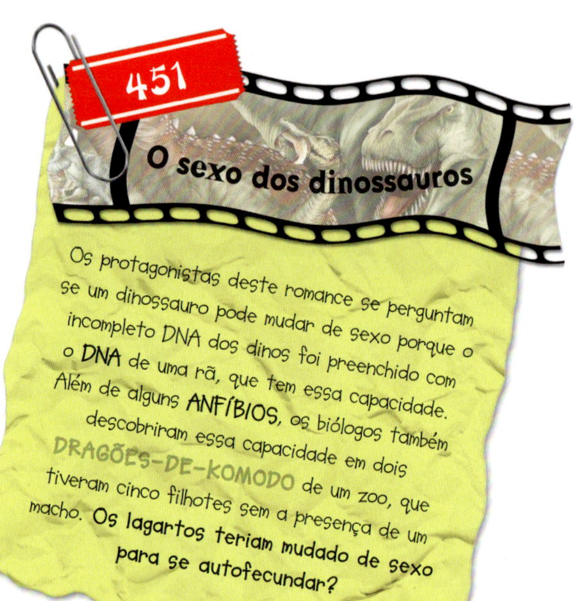

451 O sexo dos dinossauros

Os protagonistas deste romance se perguntam se um dinossauro pode mudar de sexo porque o incompleto DNA dos dinos foi preenchido com o **DNA** de uma rã, que tem essa capacidade. Além de alguns **ANFÍBIOS**, os biólogos também descobriram essa capacidade em dois **DRAGÕES-DE-KOMODO** de um zoo, que tiveram cinco filhotes sem a presença de um macho. **Os lagartos teriam mudado de sexo para se autofecundar?**

Maiassauros

452 Erros jurássicos...

Tanto no romance como no filme *O Parque dos Dinossauros,* **os** DILOFOSSAUROS **são capazes de cuspir uma substância pegajosa que cega e envenena suas vítimas:** não há nenhum dado real que indique que eles pudessem fazer isso, mas, se levarmos em conta que suas mandíbulas eram fracas, essa capacidade teria sido muito útil para eles.

Troodonte

453 Mais erros...

Michael Crichton dizia que os TIRANOSSAUROS **não podiam ver coisas imóveis,** mas eles tinham uma visão muito boa. Na verdade, foi um dos poucos dinos, ao lado do TROODONTE, que desenvolveu visão estereoscópica.

Mamute

454 E também acertos!

Mas nem tudo estava errado: *O Parque dos Dinossauros* **despertou o interesse pela clonagem de animais extintos.** Ainda é impossível clonar dinossauros porque não temos material genético suficiente. Mas... **e os** MAMUTES**?** Desde 2005 conhecemos todo o seu mapa genético e poderíamos preencher os vazios com algo melhor que o DNA de uma rã: o DNA de elefante.

1991-1994: chega o realismo

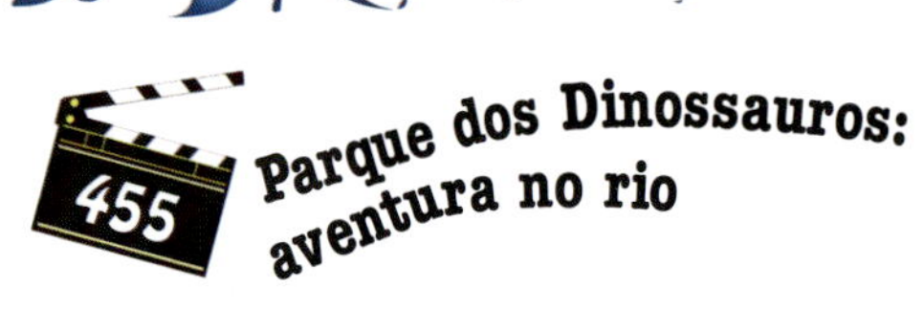

455 Parque dos Dinossauros: aventura no rio

Vários parques de diversões da Universal Studios têm uma montanha-russa aquática de *O Parque dos Dinossauros:* elas simulam que o parque foi aberto e nos oferecem um tranquilo passeio por um rio para ver ULTRASSAUROS, PSITACOSSAUROS e ESTEGOSSAUROS, até que um PARASSAUROLOFO golpeia o barco e os visitantes são empurrados para a seção dos VELOCIRAPTORES, escapam dos COMPSOGNATOS, de vários DILOFOSSAUROS e um TIRANOSSAURO. **E, no final... ah, não! Para conhecer o final dessa aventura você terá que ir até lá.**

456 Um bebê dino

Em 1991, o desenhista de mangás Masashi Tanaka criou *Gon*, **um bebê** TIRANOSSAURO **de meio metro de altura e muito mau humor.** Suas aventuras acontecem no Paleolítico, ainda que Tanaka nunca tenha explicado como Gon sobreviveu à extinção do Cretáceo. Nas histórias de Gon, não há uma só palavra, mas elas são muito bem compreendidas. Algum dia você já ouviu um dinossauro falar?

Dilofossauros

457 A Família Dinossauro

Em 1991, Jim Henson, criador dos *Muppets* e de *Vila Sésamo*, colocou todos os seus conhecimentos sobre fantoches a serviço dos dinossauros. O resultado foi uma série divertidíssima, a *Família Dinossauro*, o meio do caminho entre os Flintstones e os novos dinossauros: uma família composta por Dino da Silva Sauro, um poderoso MEGALOSSAURO; sua esposa Fran, uma ALOSSAURO com pinta de DILOFOSSAURO, e seus três filhos, que enfrentam a vida cotidiana de estudos, trabalho... e a extinção.

Megalossauro

458 A vida em perigo

No último episódio da *Família Dinossauro*, descobrimos que as ações irresponsáveis da indústria e a sua pouca consideração com o meio ambiente acabam provocando a desertificação do planeta, a Idade do Gelo e a destruição dos dinossauros. Levando-se em conta a ameaça atual do efeito estufa, **dá o que pensar...**

A originalidade nos anos 1990

Anquilossauro

Tiranossauro

459 Homens-dinossauro

Já vimos que os mundos de DUNGEONS & DRAGONS escondem dinossauros. Mas o que você não sabe é que também há uma raça de homens-dinossauro: os SAURIAIS. Eles vivem afastados em um vale do planeta Faerun e deles são conhecidas quatro espécies: os Bladebacks (ESTEGOSSAUROS humanoides), os Finheads (parecidos com os SAURÓPODES), os Flyers (PTEROSSAUROS com corpo de humanos) e os Hornheads (uma mistura de TRICERATOPE e ANQUILOSSAURO).

460 Um pato curioso

No capítulo 25 da série *Darkwing Duck* (1991), da Disney, aparece um personagem diferente chamado Doutor Fóssil. Ele foi um paleontólogo até se "retroevoluir" e se transformar em um PTERANODONTE (hoje sabemos que os pássaros não descendem dos pterossauros). O Doutor Fóssil odiava a pouca consideração das pessoas para com o passado e se propôs a extinguir os habitantes do planeta com o apoio de seu ajudante Steggmutt, um ESTEGOSSAURO forçudo.

Estegossauros

461 Videogames: anos 1990

Hoi **(1992), cartucho do console Amiga, talvez tenha sido o primeiro videogame em que controlamos um dinossauro em busca de sua companheira.** Muito original também foi a ideia de *Dino Park Tycoon* (1993): onde o jogador devia fazer funcionar um zoo de dinossauros, uma ideia que surgiu após o sucesso do filme *O Parque dos Dinossauros III*. Na sequência vieram *Park Builder* (2001), *Zoo Tycoon: Dinosaur Digs* (2002) e *Dino Island* (2002).

462 Uma ilha perdida com dinos

O romance de James Gurney *Dinotopia: uma Terra Além do Tempo* **apresentou em 1992 uma ilha perdida em que náufragos conviviam pacificamente** com os descendentes dos dinossauros que sobreviveram à extinção do Cretáceo. Desde então, mais de 20 romances, diversos filmes, games e séries de televisão têm levado ao mundo essa utopia de generosidade e companheirismo.

De Yoshi a Raptor Red

Super Mário Bros (1993)

Estávamos nos esquecendo do Yoshi, amigo do Mário e um dos dinossauros mais queridos dos games. E, se nos referimos ao Mário, temos que falar do filme de 1993, em que descobrimos que o meteorito que matou a maioria dos dinossauros enviou os outros a um mundo paralelo no qual evoluíram até desenvolver sua própria civilização, governada pelo despótico Rei Koopa, descendente de Tiranossauros. Foi o primeiro filme baseado em um videogame.

O tiranossauro mais famoso

Em 1993, os dinossauros estavam na moda. *Rex, um Dinossauro em Nova York* é um filme animação que nos apresenta o grupo de Rex, o TIRANOSSAURO; Woog, o TRICERATOPE; Elsa, a PTERODÁCTILO e Dweeb, um SAUROLOFO. Um cientista do futuro os torna inteligentes, elimina seus instintos violentos e os transporta para o presente para que conheçam seus maiores fãs: as crianças.

465 Canções com dinos

Há também canções dedicadas aos dinossauros: em 1993, o genial produtor e humorista Al Yankovich, famoso por parodiar grandes sucessos da música pop, escreveu um tema similar ao clássico "MACARTHUR PARK", que foi sucesso na voz de Donna Summer, com "Jurassic Park" baseado no filme *Parque dos Dinossauros.* Thrak, da banda de rock progressivo King Crimson, tem um tema intitulado *"DINOSAUR"*, mesmo nome da banda à qual pertenceu David Byrne antes de entrar para o Talking Heads.

466 Alex, o Velociraptor boxeador

No game *Tekken 2* (1995), **pudemos conhecer o único** VELOCIRAPTOR **boxeador que já existiu:** Alex, um dinossauro ressuscitado pelo doutor Boskonovitch. O pobre dino vivia de luvas de boxe e por isso sempre perdia quando jogava "Jan-Ken-Po" ou "Pedra-papel-tesoura", porque só conseguia fazer "pedra". **Tente jogar e você vai entender o problema do Alex...**

467 Raptor Red (1995)

Raptor Red é o romance mais original deste capítulo: afinal, **quantas histórias você conhece em que o protagonista é um Velociraptor que nos conta a sua vida?** O romance é muito bem documentado por seu autor, o grande paleontólogo Robert Bakker. **(Veja a curiosidade 374).**

Velociraptor

1995-1996: O mundo perdido

O Mundo Perdido (romance 1995, filme 1997)

O título da segunda parte de *O Parque dos Dinossauros (O Mundo Perdido)* **é uma clara homenagem ao romance de Arthur Conan Doyle, de 1912.** A última imagem do filme nos mostra o voo de um PTERANODONTE... precisamente o animal que os protagonistas de *O Mundo Perdido*, de 1912, levam para a civilização.

Pteranodonte

Tiranossauro

Corrigir é inteligente

Enquanto Michael Crichton escrevia seu primeiro *O Parque dos Dinossauros*, acreditava-se que terópodes como o TIRANOSSAURO não enxergavam coisas imóveis. Em 1995, essa já era uma teoria descartada, e o Rex de *O Mundo Perdido* vê tão bem tanto as presas quietas como as que se movem, ainda que isso não tenha sido informado a alguns dos personagens que ainda acreditam que ficar quietos na frente de um Tiranossauro é uma boa ideia.

470 Erros Jurássicos (1995)

Michael Crichton tem muita imaginação: de acordo com **O MUNDO PERDIDO**, o **CARNOTAURO** tinha a capacidade de mudar de cor para se camuflar no ambiente. Como um camaleão, mas de 1.600 quilos.

471 Theodore Rex (1995)

Um filme bem diferente de *O Parque dos Dinossauros* **é** *Theodore Rex*. Num mundo em que convivem humanos autênticos e dinossauros com corpo humanoide (como os da série *Família Dinossauro*), uma detetive investiga um "dinocídio": o assassinato de um cidadão dinossauro. Ela precisará da ajuda de Ted, um Rex que passava por ali e poderia ser testemunha da cena do crime.

Carnotauros

472 Entre dinossauros (1996)

Às vezes, a tradução de títulos de filmes ou livros do inglês para outras línguas é tão diferente que fica difícil acreditar que se trata da mesma obra. Esse é o caso do livro *The Dechronization of Sam Magruder*. Em português, a tradução foi literal: *A Descronização de Sam Magruder*, mas, em espanhol, acabou ficando *Entre Dinossauros,* pode? Perdido no tempo, Sam precisará se acostumar com a ideia de viver entre os maiores répteis do planeta, porque ninguém virá buscá-lo... nunca!

1996-1999: extremamente carnívoros

473 Transformers: Beast Wars (1996-1999)

Na moderna série *Beast Wars*, na qual os Transformers aterrissam na Terra pré-histórica, a forma reptiloide de Grimlock (ou Dinobot) é a de um VELOCIRAPTOR. Outros robôs passam para o mundo dinossáurico e assim temos Megatron (um TIRANOSSAURO) e Terrorsauro (um PTERODÁCTILO), dois dos seres aprisionados há 70 milhões de anos.

474 Dinobrinquedos

Claros herdeiros das Tartarugas Ninja, os desenhos animados de *Extreme Dinosaurs* foram também uma linha de brinquedos que surgiu no final dos anos 1990. Eram cinco heróis com cabeça de dinossauro: T-REX, TRICERATOPE, ESTEGOSSAURO, ANQUILOSSAURO e um PTERANODONTE, quase iguais aos de Dinoforce dos Transformers. Enfrentavam um grupo de maldosos DROMEOSSAUROS que pretendiam acelerar o aquecimento global.

Tiranossauro

Estiracossauro

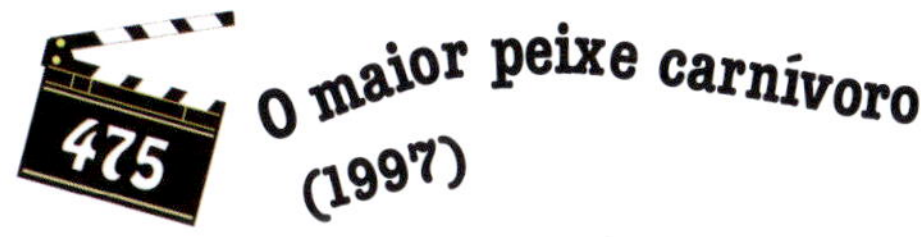

O maior peixe carnívoro (1997)

Não era um dinossauro e apareceu há apenas 16 milhões de anos, mas não podíamos deixar de falar do maior peixe carnívoro de toda a história: o CARCHARODONTE MEGALODONTE, um imenso tubarão de 16 metros **(do tamanho de quatro carros)** carinhosamente chamado Meg pelo escritor Steve Alten.

O peixe perfeito

Os TUBARÕES **são representantes de um caso interessante na história da evolução:** alguns dizem que é o peixe perfeito, porque não evolui há mais de 65 milhões de anos. Entre as prodigiosas características desses peixes está seu sistema detector de campos elétricos dos seres vivos que passam perto deles e sua imunidade ao câncer.

Dimetrodonte

Carnivores (1998)

Este videogame nos coloca na pele de um caçador de dinossauros clonados em uma espécie de *O Parque de Dinossauros.* Um dos erros do jogo é que chama de EDAFOSSAURO, VELOCIRAPTOR e CHASMOSSAURO ao que na realidade são DIMETRODONTES, UTAHRAPTORES e TRICERATOPES.

Caminhando como dinossauros

478 Carnivores 2 (1999)

A segunda parte de *Carnivores* acrescenta algumas espécies e a possibilidade de escolher se queremos caçar durante o dia, à noite ou ao amanhecer, ainda que isso não mude em nada a cara dos dinossauros. Isso também não é nada correto: **como todos os animais, os dinossauros tinham seus horários para caçar e para descansar, e você não poderia encontrá-los vagando por aí quando estavam com sono...**

Tiranossauro

Oviraptores

479 Savage Quest (1999)

Há muitos games com dinossauros, mas quase sempre a história é fraca. Um dos mais originais é *Savage Quest:* o herói é um T-REX que você deve guiar na busca por seus ovos que foram roubados do ninho por alguns VELOCIRAPTORES. Outro jogo parecido é *Warpath*, da série *O Parque dos Dinossauros*, que nos coloca na pele de um dos dinossauros do parque.

Velociraptores

480

O Verão dos Dinossauros (1999)

Um dos grandes inspiradores de todas as histórias de dinossauros foi *O MUNDO PERDIDO*, de Arthur Conan Doyle. Em *O VERÃO DOS DINOSSAUROS (DINOSAUR SUMMER)*, o escritor Greg Bear volta ao mundo do romance de Doyle, 50 anos depois: devolver os dinos de um circo ao Mundo Perdido de Challenger, com dois diretores de cinema que querem rodar um filme sobre ele, será muito mais perigoso do que parece a princípio.

481

Efeitos especiais

Desde as inovações de *O Parque dos Dinossauros*, **os efeitos especiais computadorizados têm conseguido nos fazer ver dinossauros muito reais.** A rede BBC aproveitou para fazer uma série de documentários sobre esses animais. *Caminhando entre Dinossauros* foi tão bem feita, que acreditamos de verdade que as câmeras estão lá, no Mesozoico, filmando os maiores répteis do planeta.

Tiranossauros

Dinos para o século 21

482 Dinossauro (2000)

O protagonista do filme ***Dinossauro,*** **da** DISNEY**, é um** IGUANODONTE **computadorizado.** E apesar de muito bem feito, também tem seus erros: os iguanodontes têm bico, mas os do filme têm lábios. **Coisas da animação...**

483 Dinosaur Wars (2000)

Levando em conta os últimos achados dos paleontólogos, este romance conta como uma raça de humanoides volta para a Terra com um exército de TIRANOSSAUROS e MEGARAPTORES para recuperar o planeta que os humanos lhes roubaram. Uma ideia parecida com a dos quadrinhos *Dinowars: a Guerra Jurássica dos Mundos* (2007), de Rod Espinosa.

Iguanodontes

484 Misturar um Apatossauro e um gerânio

Parece estranho, não é verdade? Mas tem POKÉMON **para todos os gostos e Meganium é um dos mais curiosos da série criada por Satashi Sajiri.** No ano 2000, vimos a primeira aparição de Meganium, um Pokémon de 2 metros com forma de APATOSSAURO verde com uma enorme flor rosada ao redor do pescoço, que emite um perfume calmante.

485 Rampard, o Paquicefalossauro

Outros Pokémons se parecem muito com dinossauro reais: é o caso de Rampard, que é quase igual a um PAQUICEFALOSSAURO. Trideps, Aggron, Groudon, Aerodactyl e Tyranitar são também Pokémons inspirados em dinossauros.

486 O Parque dos Dinossauros III (2001)

Com o tempo, o clássico logotipo de *O Parque dos Dinossauros* **foi trocado:** o fóssil que aparece no emblema da terceira parte da série não é um TIRANOSSAURO, e sim um ESPINOSSAURO.

Passado, presente e futuro

487 Um novo perfil

No filme *O Parque dos Dinossauros III*, **um paleontólogo pergunta a um aluno que animal ele acredita que seja o** ESPINOSSAURO**:** o jovem opina que pode ser um SUCHOMIMO ou um BARIONIX (pelo focinho comprido do réptil). É uma piada para os fãs da série que, quando viram o cartaz pela primeira vez, confundiram o Espinossauro.

Suchomimo

Braquiossauro

Barionix

488 Convidado para os três Parques

O PARASSAUROLOFO **aparece nos três filmes de** *O Parque dos Dinossauros*. No primeiro, vê-se um rebanho deles junto ao lago durante a cena do BRAQUIOSSAURO. Em *O Mundo Perdido*, é um dos dinossauros que a companhia InGen tenta capturar. E, na terceira parte, os humanos protagonistas se metem entre um rebanho de Parassaurolofos e CORITOSSAUROS para escapar de um VELOCIRAPTOR.

489 Dinos mutantes

A 27ª série de aventuras dos POWER RANGERS começa com a ameaça de Mesogog e seus dinossauros mutantes extraterrestres. Para defender a Terra de seus ataques, os Rangers vão procurar as Dino Gemas que ativam o Tiranozord, o Tricerazord, o Dragozord, o Pterazord e... sim, o Braquiozord. Além disso, o Ranger Vermelho pode se transformar no Ranger Triássico: algo bem curioso, já que nenhum dos dinossauros do grupo existiu antes do Jurássico.

Parassaurolofo

490 Viagem no tempo

Em 2002, Michael Swanwick escreveu um romance bem original: *Bones of the Earth (Ossos da Terra)*, que começa com um paleontólogo que recebe um recipiente com uma cabeça de ESTEGOSSAURO... **recém-cortada!** A partir daí, acontecem muitas viagens no tempo, até o passado e até o futuro, onde vivem os herdeiros voadores do planeta.

2003-2005: amigos e inimigos

Dinos Marvel Old Lace (2003)

Dissemos adeus ao universo Marvel com um super-herói DEINONICO: Old Lace tem poderes telepáticos por causa da engenharia genética, e um grande carinho por sua companheira Gertrude. Nasceu na série *Runaways*, das mãos de Brian Vaughan e Adrian Alphona.

Reino do Fogo (2002)

De acordo com o filme **REINO DO FOGO**, os dragões foram responsáveis pela extinção dos dinossauros quando, há 65 milhões de anos, queimaram o planeta e se alimentaram de suas cinzas, o que deixou os pobres dinos sobreviventes sem comida. **Quem precisa de um meteorito tendo dragões?**

Apatossauro

493 Jogos de RPG

O último mundo do jogo de RPG *Dungeons & Dragons* **se chama Eberron, e nele há lugares habitados por dinossauros** (que até servem de montaria aos halflings, seres parecidos com os HOBBITS de Tolkien). A diferença de outras histórias em que aparecem dinos está aí, mas, neste caso, há uma razão: em Eberron nunca houve uma Idade do Gelo.

Velociraptor

As aventuras de Harry

Ian Whybrow e Adrian Reynolds são os criadores de *Harry e o Balde de Dinossauros* (2005), **que conta a história de um menino de 5 anos com um cubo cheio de dinossauros de plástico.** Em cada uma de suas aventuras (contos e uma série de desenhos animados), Harry brinca com um dos seus dinossauros e aprende coisas com ele, vivendo aventuras no imaginário DinoWorld, onde os dinos são reais e enormes.

Paquicefalossauro

Vaqueiros e répteis

Em 2005, o roteirista Jim Ottaviani e a Big Time Attic publicaram a graphic novel *Bone Sharps, Cowboys, and Thunder Lizards* cujo título significa *Ossos Afiados, Vaqueiros e Répteis do Trovão* (ou seja, BRONTOSSAUROS). Esse argumento explica, com muita fidelidade, a história de "A GUERRA DOS OSSOS" entre Othniel Marsh e Edward Cope. Reveja essa história na curiosidade 364.

Os últimos a chegar

496 Games do século 21

Com o novo século, foram introduzidas novidades nos games de dinossauros. Agora podemos ser paleontólogos e desenterrar fósseis nos jogos *Animal Crossing* (2001-2007), *Spectrobes* (2006) e *Fossil League: Dino Tournament Championship* (2007). O primeiro jogo desse tipo foi *I Can Be a Dinosaur Finder*, de 1997.

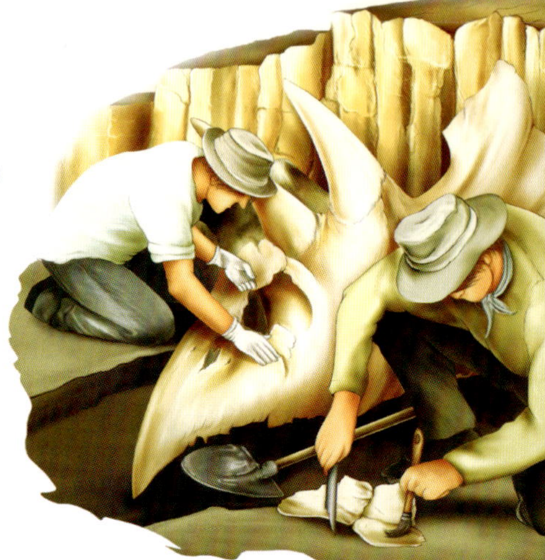

Mamute

497 Exército de dinos

Para acabar com os videogames, vamos falar da estratégia de *Paraworld* (2006), **no qual você deve liderar uma tribo de outra dimensão e conseguir o melhor exército de dinossauros.** Além de 58 espécies de dinos e outros animais pré-históricos como os MAMUTES, existe um animal secreto que lhe trará recordações: ninguém mais ninguém menos que o GIGANTOPITECO, ou melhor... o **King Kong!**

498 Uma noite no museu

O que acontece em um museu quando os visitantes vão embora? No filme *Uma Noite no Museu* (2006), dizem que todos os animais expostos ganham vida própria e dão voltas pelas instalações. A mais alucinante das criaturas desse filme é um esqueleto brincalhão de TIRANOSSAURO.

499 Os dinos como mascotes

Um dos últimos filmes que conhecemos em que os dinossauros tiveram um papel importante é uma produção da DISNEY, *A Família do Futuro*. No futuro, contam que os TIRANOSSAUROS podem ser bons bichinhos de estimação, amigos fiéis e ferozes "cães" de guarda.

500 Monterroso

Em 1959, quando escreveu o conto mais curto da história, AUGUSTO MONTERROSO nos mostrou uma verdadeira tormenta de ideias que diz simplesmente: "Quando acordou, o dinossauro ainda estava lá". **É uma prova definitiva do poder maravilhoso que essas criaturas exercem sobre a nossa imaginação e da fascinação que seus mistérios continuarão provocando.**

ÍNDICES ZOOLÓGICO e DE PERSONALIDADES

índice zoológico de DINOSSAUROS

(Os números correspondem às curiosidades)

A

Abrossauro, 125
Aetossauro, 280
Agnosphitys, 52
Agrossauro, 77
Alamossauro, 189
Alataiensis, 119
Alossauro, 13, 93, 104, 105, 129, 309, 396, 405, 424, 426, 428, 457
Altithorax, 119
Alvarezsáuridos, 237, 238
Amargassauro, 158, 159
Anatotitan, 177
Anquilossauro, 12, 135, 181, 185, 446, 459, 474
Antetonitrus Africano, 50
Apatossauro, 114-117, 364, 404, 405, 420, 441, 446, 447, 484
Aquilobator, 223
Aragossauro, 336
Archelon, 424
Arcossauro, 38, 39, 41, 52, 53, 86, 279, 280, 284, 285, 332
Argentinossauro, 18, 190, 379
Arqueópterix, 230-232, 235, 236, 240, 326, 405
Aucassauro, 210

B

Bambiraptor, 222
Barionix, 214, 215, 487
Barossauro, 333
Bavarissauro, 96
Bracauquênios, 270
Braquiossauro, 15, 118-122, 294, 327, 488
Brontossauro, 50, 114, 399, 418, 438, 495
Bruhathkayossauro, 190

C

Camarassauro, 123, 364
Carcharodonte Megaladonte, 475
Carcharodontossauro, 203-205
Carnotauro, 199, 470
Celidossauro, 135
Celófise, 73-75, 165, 289
Ceratopsídeos, 144, 145, 188
Ceratossauro, 109, 129, 309, 326, 424
Chasmossauro, 477
Cinognato, 35
Compsognato, 80, 82, 94, 96, 232, 329, 455
Coritossauro, 23, 172, 173, 333, 488
Criolofossauro, 100, 101
Cryptovolans, 235
Ctenochasma, 254

D

Daspietossauro, 477
Desmatosuchus, 282
Diatrima, 241
Dicinodonte, 86
Dilofossauro, 97-99, 344, 452, 455, 457
Dimetrodonte, 290-293, 409, 477
Dimorfodonte, 253, 395
Diplódoco, 17, 122-124, 373
Domeykosaurus, 60
Dracovenator, 110
Dromeossaurídeos, 234, 236
Dromeossauro, 137-140, 207
Deinonico, 13, 20, 140, 220, 235, 284, 491

E

Edafossauro, 294, 477
Effigia Okeeffeae, 287, 289
Efraasia, 79, 283
Einiossauro Procurvicornis, 153
Elasmossauro, 296, 364, 413
Eocursor, 375
Eoraptor, 41-44, 47, 52, 216
Epanterias, 93, 103, 104
Espinossauro, 159, 201-203, 486, 487
Estauricossauro, 47, 48
Estegossauro, 12, 127-135, 309, 356, 395, 405, 415, 418, 428, 429, 438, 446, 447, 455, 459, 460, 474, 490
Estiracossauro, 406, 413, 418
Eudimorfodonte, 255

F

Fitossauro, 285, 355, 383

G

Galimimo, 178-180, 287
Gastornis, 241
Giganotossauro, 379
Gigantopiteco, 404, 497
Gigantoraptor, 375
Giraffatitan, 119
Godzillassauro, 51
Gojirassauro, 51
Gorgossauro, 341
Grallator, 331
Grypossauro, 172

H

Hadrossauro, 11, 22, 164, 172, 177, 337, 389
Herrerassauro, 43-46
Hipsilofodonte, 160, 161
Huayangossauro, 133

I

Ictiossauro, 30, 78, 262-264, 266, 346, 347, 352, 391, 395
Iguanodonte, 11, 21, 154-157, 160, 343, 344, 370, 395, 415, 482
Indridotherium, 294

J

Juravenator, 95

K

Kentrossauro, 133
Kronossauro, 270

L

Lagosúquido, 40
Lambeossauro, 172, 176
Leallynassauro, 162, 163
Lessemsauro, 380
Listrossauro, 36, 37
Lukousaurus, 83

M

Maiassauro, 165-167, 450
Mamute, 294, 303, 339, 418, 420, 454, 497
Manospondylus Gigas, 197
Marginocéfalo, 9, 10
Mastodonssauro, 278, 294
Megalossauro, 106-108, 205, 296, 344, 349, 395, 457
Megaraptor, 207, 483
Megazostrodon, 297
Megistotherium, 242
Mei, 187
Melanorossauro, 328
Microraptor, 19, 49, 217
Minmi, 185, 186
Monolofossauro, 93, 98
Mononico, 238
Mosassauro, 114, 272
Moschops, 35

N

Notossauro, 265, 267, 337

O

Opisthocoelicaudia, 189
Ornitomimo, 237
Ornitópodes, 9, 11, 434
Ouranossauro, 159
Oviraptor, 209
Ozraptor, 77

P

Paquicefalossauro, 10, 168-171, 485
Parassaurolofo, 23, 172, 174-176, 455, 488
Pelecanimimo, 387
Peteinossauro, 249
Phorusrhaco, 395
Placodus, 277
Placondonte, 275-277
Plateoquelis, 275
Plateosauravus, 72
Plateossauro, 59, 66-71
Plesiopleurodon, 270
Plesiossauro, 30, 262, 267-272, 352, 391, 395, 406, 427
Postosuchus, 383
Procompsognato, 80-82
Proganoquelis, 274
Prossaurópodes, 54, 55, 72
Protoavis, 326, 383
Protocerátope, 209, 219, 296
Psitacossauro, 10, 145-147, 455
Pternanodontes, 30, 256-258, 405, 418, 438, 447, 460, 468, 474

Pterodáctilo, 250-252, 353, 420, 425, 428, 440, 446, 464, 473
Pterodaustro, 376
Pterossauro, 30, 245, 261, 356, 395, 401, 425

Q

Quetzalcoatlus, 259-261, 420
Quiroterium, 286

R

Rahonavis, 240
Rauisúquido, 283
Revueltossauro, 332
Rhabdodonte, 157
Rhamphorhynchus, 252, 256, 294, 405
Rhedossauro, 414, 415
Rhetossauro, 77
Rhyncossauro, 383

S

Sacissauro, 58
Saltassauro, 198, 200
Saltopus, 48
Santanaraptor, 136
Saturnalia, 56
Sauroctunus, 294, 295
Saurolofo, 175, 447, 464
Saurópode, 55, 111-113, 188, 189, 204, 335
Sauropodomorfo, 9, 14, 57
Sauroposeidon, 18
Saurornitolestes, 221
Sellossauro, 76, 79
Shunossauro, 126
Shuvuuia da Mongólia, 239
Sinosauroptérix, 230
Sinraptor, 93
Slurpassauro, 411, 427
Snorkassauro, 419
Stygimoloch, 171
Suchomimo, 487
Superssauro, 18, 327

T

Tanistrofeus, 273, 383
Terapsídeos, 35, 36, 38
Teratossauro, 79, 283
Terizinossauro, 208
Terópodes, 9, 13, 52, 93, 188, 233, 434
Thecodontossauro, 57, 77, 79
Thotobolossauro, 342
Tibetossauro, 264
Tilossauro, 296
Tiranossauro rex, 5, 13, 20, 22, 45, 141, 147, 171, 191-197, 201, 204, 294, 298, 333, 403-405, 409, 410, 412, 414, 415, 422, 426, 428, 431, 432, 438, 446, 453, 455, 456, 463, 464, 469, 471, 473, 474, 479, 483, 486, 498, 499
Tireóforo, 9, 12
Titanossauro, 337
Triceratope, 10, 141, 148-152, 195, 284, 294, 356, 407, 424, 427, 437, 438, 446, 447, 459, 464, 474, 477
Troodonte, 211-213
Turiassauro, 385
Typhotorax, 282

U

Ultrassauro, 327, 455
Unaissauro, 59
Utahraptor, 139, 477

V

Velociraptor 140, 141, 169, 218-221, 233, 239, 240, 296, 455, 466, 467, 473, 477, 479, 486, 488

Z

Zuniceratope, 388

Índice de personalidades

(Os números correspondem às curiosidades)

A

Alcalá, Luis, 385
Álvarez, Walter, 225
Ameghino, Florentino, 377, 378
Anning, Joseph, 350
Anning, Mary, 346, 350-354

B

Bakker, Robert T., 28, 374, 467
Bogniart, Alexandre, 87
Bonaparte, José Fernando, 376, 377, 380
Boylan, Thomas, 373
Buckland, William, 349

C

Calvo, Jorge, 207
Chapman Andrews, Roy, 209, 381, 382
Chaterjee, Sankar, 326, 383, 384
Colbert, Edwin, 288
Collini, Cosmo Alessandro, 250
Cope, Edward D., 197, 358, 360-369, 495
Cuvier, Georges, 250

D

Depéret, Charles, 205
Dollo, Louis, 370
Domínguez-Rodrigo, Manuel, 385

F

Font, Norbert, 339
Fraas, Eberhard, 79

H

Heuse, Friedrich von, 79
Horner, Jack, 166, 450
Hui, Ouyang 125

J

Jensen, James, 327

L

Lamarck, Jean-Baptiste, 361
Lambe, Lawrence, 176
Lessem, Donald, 379, 380

M

Mantell, Gideon, 154
Markgraf, Richard, 386
Marsh, Othniel C., 114, 132, 357-359, 363-369, 495

N

Nesbitt, Sterling, 289

O

Osborn, Henry F., 191, 197

P

Planté, Gaston, 241
Plot, Robert, 106

R

Reig, Osvaldo, 43
Riggs, Elmer, 119

S

Sanz, José Luis, 387
Schweitzer, Mary, 304
Sloboda, Wendy, 341
Stromer von Reichenbach, Ernst, 205, 386

W

Walter, Alick, 323
Welles, Samuel, 344
Wolfe, Christopher, 388